BEUM-SGÈITHE

BEUM-SGÈITHE

dàin le
Eòghan Stiùbhart
(Eòghan Anna Nighean Chailein 'ic Ruairidh Phàdraig)

Riaghladair Carthannas na h-Alba
Carthannas Clàraichte
Registered Charity SC047866

Air fhoillseachadh ann an 2022 le Acair
An Tosgan, Rathad Shìophoirt, Steòrnabhagh, Eilean Leòdhais HS1 2SD

www.acairbooks.com
info@acairbooks.com

Deilbhte agus dèanta le Acair.

An dealbhachadh agus an còmhdach le Mairead Anna NicLeòid.

Chuidich Comhairle nan Leabhraichean am foillsichear le cosgaisean
an leabhair seo.

Tha Acair a' faighinn taic bho Bhòrd na Gàidhlig.

Gheibhear clàr catalog CIP airson an leabhair seo ann
an Leabharlann Bhreatainn.

Clò-bhuailte le Hobbs, Hampshire, Sasainn.

LAGE/ISBN: 978-1-78907-094-1

Clàr-innse
Contents

DÀIN EILE ÀS AN IARMAILT LIATH

ÈIRICH

Bàrdachd

ciamar a bhios tu
a' sgrìobhadh air duilleig bhàin
gun a bhith ga milleadh?

nuair a chuireas tu
inc no luadh ris a' gheal
am bi e ga lùghdachadh
air neo ga leasachadh?

a bheil briathran ann
co-ionnan ri farsaingeachd
a' mhic-mheanmna?

tog am peansail, tog am peann
fuasgail an inntinn, feuch air fàire ùr

Iodh is Ur >–III–IIII–<

Thaisteil mi fo iarmailt gun sgleò tro Fhartairchill an Uir
   's an Iubhair
's dheàrrs a' Ghrian air ìomhaigh ghlas de Stiùbhartach eile
na briathran mar thiomnadh air càrn an fhir-fhèilidh a' gairm
"CUIMHNICHIBH NA DAOINE ON D'THÀINIG SIBH",
na fhear-eachdraidh nan rèiseamaidean ud a thill duais
   mhòr dhan rìgh
airson an tastan a chuir e an seilbh.

Ann am Braghad Albainn sa Ghearran far an robh thus'
   is Pilate roimhe
chuala mi buille-cridhe na Gàidhlig a' caoidh o na clachan
cho cèin is cho cian ri fuaim làraidhean Chois a' Bhile
's chuala mi na Griogaraich a' caoineadh o shean is as ùire
's Allt Chailtnidh a' seinn far an do thionndaidh an seann
   mhuilean
nuair a bha mo leannan eile beò air feadh nan gleann.

Bha an dithis agaibh air mo chuimhne an latha anabarrach
   àlainn ud
a dhòirt mi an ròmag dhan allt 's lìon mi a' chuach le
   fion-geur.

Cha do thill mi an rathad a thàinig mi ach rathad eile
   air allaban air tòir a' chridhe ùir.

U & I > ̶ ̶ ̶ ̶ ̶ ̶ ̶ ̶ <

I wandered under a flawless sky through Fortingall of
the Heath and the Yew and the Sun shone on the grey
statue of another Stewart the words a testament on the
kilted man's cairn proclaiming "CUIMHNICHIBH
NA DAOINE ON D'THÀINIG SIBH" an historian
for those regiments that returned to the King a healthy
dividend on the shilling he invested.

In Breadalbane in February where you and Pilate were
before I heard the heartbeat of Gaelic crying from
the rocks as strange and distant now as the rumble
of Coshieville's lorries and I heard the MacGregors
mourning of old and of new and Keltneyburn singing
where the old mill turned when my other darling was
alive throughout the glens.

The two of you were on my mind that day of beauty and
wonder I poured the Atholl brose in the burn and filled
the cup with bitter wine.

I did not go the way I came but another wandering in
search of the new heart.

Eòghan Stiùbhart

ris a' chladach

nì na feannagan
an neadan
anns a' choille
gach oidhche

falbhaidh iad le ròc
sa mhadainn òig
is tillidh iad amhail
nuair a bhios e dùmhail

fhuair mi 'n-diugh 'ad
a' priogadh na feamad
ris a' chladach eadar
Aithrigh is Càrn

by the shore

the crows nest in the forest every night they leave
raucously in the dawn and likewise return in the dark
I found them today picking the seaweed by the shore
between repentance and seastone

Am Màrt

Thig leis a' Mhàrt
làithean soilleir
uisgeachan fuara
cridheachan faoin briste
athraichean gam buain ro ghrad.

March

March comes with bright days cold rains vain broken
hearts fathers taken too soon

Fo phràmh

cadal cha dèan mi
cadal sàmhach
cadal suaineach
cha laigh mise aig tàmh
cha dèan mi idir bruadar
cha bhi mi fiù 's dùisgeallach

cha nochd aisling rium-sa
chan fhaic mi an saoghal eile
chuirinn fàilte air trom-laighe
no breisleach a bheireadh orm
èigheachd na mo dhùsgadh

gun dòchas gun dùin mo shùilean
mus bris a' ghrian an fhàire
nì mi caithris na h-oidhch'
's mi companach na Gealaich
's i mar a bha thu fhèin
leth-fhalaichte, fad' às, fuar
ged nach eil sgàil ann
a chumas a-mach do sholas

Slumber

sleep I won't make quiet sleep slumbering sleep I won't lie
at peace I won't dream at all I won't even be wakeful
No dream will appear to me I will not see the other realm
I'd welcome a nightmare or even a hallucination that
would bring me screaming awake
without hope that my eyes will close before the sun
breaks the horizon I'll make the nightwatch as the Moon's
companion for she is like yourself half-hidden, cold and
distant although there is no shade which can keep out
your light

Eòghan Stiùbhart

Gàmagan

Dlùth dhomh nam uchd,
geug ùr seo o mheur mo bhràthar,
ceum eile na sliochd.
Gàire a' teachd, fiamh a' ghàire
ri do bheul ùr
far a bheil na gàmagan
lom gun bhristeadh
le gach leòn agus gach cràdh
a thig an cois fhiaclan an t-saoghail.

Ò gheuga ùir, tha thu ga dhèanamh slàn.

Gums

Close in my chest this fresh branch from my brother's
limb another path on the way a smile comes, a grin
to your new mouth where your gums are bare and
unbroken by every pain and wound that comes with the
teeth of the world O new branch, you make it all whole.

Eòghan Stiùbhart

"Gaisgich"

A-nis tha Sgoirebhreac rim chùl
's dusan bliadhna air a dhol bhuam
bhon a shìn mi air a' mhullach fhuar seo
mun an aon àm, mun an aon uair.

Lainnir chàraichean thar lùib Dhruim Aoidh
is chìthear solas an latha
fhathast air cùl Bod an Stòir.
Chì mi triùir ghaisgich fam chomhair;

ach chan eil m' aire air a' Chuilitheann,
no air a' Ghealaich òir a' falach air cùl Fhinn,
a' gabhail tost anns a' Ghleann Mhòr
far an robh mo shinnsearan rin linn;

Ach air Port Rìgh na Mhanann,
trì-chasach, dealrach,
gun cheò falachaidh ga dhìon
bho mo shùilean is m' anam gealtach.

"Heroes"

Now Scorrybreck is behind me and a dozen years past since
I lay on this summit around the same time and hour
The car lanterns over the Drumuie bend and the light of
day can still be seen behind the Old Man. I see three heroes
before me.
but my mind is not on Cuchullin or the golden Moon
hiding behind Fingal seeking peace in Glen Mòr where my
ancestors were of their day
But on Portree as Manann Three-legged, radiant without
his veiling mist to protect him from my eyes and my
cowardly soul

Eòghan Stiùbhart

Ùig

Tha mi nam sheasamh
air àrdbharr na beinne
a' coimhead tarsainn
nan eilean, an Sgarp is Mealastadh
An Cuan Siar, na tonnan gorma,
an fhairge dhìomhair dhomhainn,
sealladh-mara cho àlainn,
mo smuaintean nan deann-ruith
cho luath ri earb air an raon,
tìm fosgailte air mo chùlaibh
agus glaiste nam aghaidh
ach 's ann tha m' earbsa air
an tì a stiùir mi dhan mhullach
is cha nochd càil air a' bhruthaich
a chuireas fo iomagain mi.

Cuairtich mi anns na h-uisgeachan buan
Cuir umam an talamh greannmhor
Tog mo chàrn leis na clachan uaine
Gabh an t-òran, an t-òran ùr.

Uig

Standing here on the highest peak looking over the
islands, Scarp and Mealasta the Atlantic, the blue waves
the secret deep ocean a seascape to marvel my thoughts
in full flight as swift as the hind on the moor time open
behind me and locked in my face but my trust is in
the one who steers me to the summit and nothing can
appear on the slope which shall worry me.
Surround me with the eternal waters Wrap me in the
delightful earth Build my cairn with the green stones
Sing the song, the new song.

Eòghan Stiùbhart

Eaglais na Cròice agus Beanntan Ùige

Chuir mi duilleag-ùrnaigh ri craoibh ann
mar a shnaighich na truaghain uair na h-uinneagan.

Bha an saoghal lom is falamh às d' aonais
ach thill thu thugam (air neo an rathad eile)
nuair a fhreagair thu
tagradh an do-chreidmhich
às leth a mhàthar
le sileadh-teine os cionn
Chracabhal agus Bealach Thamnabhaigh.

Bha na deòir nan sradagan air mo ghruaidhean
is mi a' tilleadh dhachaigh.

Croick Church and the Uig Hills

I placed a prayer-leaf on the tree there like the poor souls
once engraved the windows The world was bare and empty
without you but you came back to me (or the other way
around) when you answered the unbeliever's application
on his mother's behalf with a fiery rain over Cracaval and
the Hamnaway Pass The tears like sparks on my cheeks as
I returned home.

Eòghan Stiùbhart

Òran Dhòmhnaill

san taigh-chòmhnaidh
bha pailteas rùim
ach shad mi an iuchair
bhuam le dùrachd

thàinig mi thugam
an Taigh an Eilein
blàths na cagailte
anns a' chidsin

shuidh mi mun bhòrd
ag èisteachd ris a' mhac
ag innse mun òran
a b' fheàrr a sgrìobh athair

chaidh am fìon òl
bhriseadh an t-aran
chuala mi an t-òran
is bha 'n luaidh ceart

Macdonald Song

In the house there was plenty room but I threw
away the key with kind regards
I came around in the Island House and the warmth
of the hearth in the Kitchen
I sat around the table listening to the son telling of
the best song his father ever wrote
the wine was drunk and the bread was broken and
I heard the song and the praise wasn't misplaced

Eòghan Stiùbhart

'an car san staidhre'

an car san staidhre
far an do thachair dithis leannan
ri chèile;
àrd-ghaol, sàcramaid, fèill, dàil,
coinneamh, cruinneachadh, adhaltranas, dàn;
an ìomhaigh iongantach a leum o bhruis a' Chlàraich,
Hellelil agus Hildebrand,
's iad glèidhte air cùl dhorsan dubha,
amhail mar a tha ar gaol-sa,
a' teicheadh chun an t-solais ro ainneamh
agus a' seargadh na ghathan.

'the meeting on the turret stairs'

the turn in the stairs where two lovers met; higher love
sacrament holy day betrothal meeting gathering adultery
fate that incredible image jumping form the Clareman's
brush Hellelil and Hildebrand and they kept behind black
doors just as our love is escaping into the sun so rarely and
fading in its light

Eòghan Stiùbhart

Craobh na Nollaig

Cho fad' 's a bha sinn a' cur an-àird na craoibhe
chuimhnich mi air craobh eile a dhìrich mi
agus na smuaintean a thàinig thugam an uair sin

Chì mi bhuam
gach call is gach cothrom
gach aithreachas 's gach àgh
gach caraid 's gach nàmh
gach gràin 's gach gràdh

Chì mi bhuam mo bheatha air fad

Christmas Tree

Whilst we raised the tree I remembered another tree I'd
climbed and the thoughts that came to me then
I see each loss and opportunity each regret and joy each
friend and enemy each hate and love.
I see my whole life from here

Eòghan Stiùbhart

Fo Sgàil nam Beann

Ruith sinne chun nam beann
Far an robh ar dòchas ann
Thàinig na smuaintean nan deann
Is dh'fhalbh ar diomb san tuil sin

On leathad uaine fhuair sinn sealladh
Air alltan, lochan, gleann is bealach
Coilltean a' fàs às ùr as t-earrach
Is chuir sinn romhainn am mullach

Air an t-sliabh am fraoch cho dearg
Am mointeach beò le leum na h-earb'
'S ged dh'fhairich sinn oiteag shearbh
Bha a' Ghrian gar cumail romhainn

A' direadh suas druim an fhuaraidh
Dh'fhàs am fraoch donn is ruadh
Thaom na sgòthan glas nan tuar
Is chaill mi lèir ort anns a' chiaradh

Thaisteil mi treis air an aonach
A' call mo shlìghe anns an fhraoch
Ga do shireadh sa cheò aognaidh
Le cinnt gun robh thu gam fheitheamh

Air an talamh uachdranach
Thuit an sneachd san fhuachd gheal
Is thuig mi an sin na mo thruaighe
Nach fhaicinn thusa tuilleadh

34

In the Mountains' Shadow

We ran to the hills where our hope lay and the
thoughts came in haste and our doubt was washed
away in that flood
From the green slope we got a view of streams, lochs,
glen and pass, forests growing anew in spring as we
set before us the summit
On the mountain the heather so red, the moorland
alive with the leap of the roe, and although we felt
the bitter breeze the Sun kept us going
Climbing up the windward ridge the heather grew
ruddy and brown the clouds bundled in grey in
appearance and I lost you in the gloaming
I waited awhile upon high and lost my way in the
heath looking for you in the awful mist but sure that
you were awaiting
On the highest ground the snow fell in the cold
white and I understood only then that I would never
see you again

Eòghan Stiùbhart

Seonaidh a thàinig o chionn ghoirid

a' tighinn a-steach
air dheireadh;
gu fasanta,
chanadh feadhainn;
ro fhadalach,
chanadh càch.
ach a dh'aindeoin
mo mhaille
nì mi mo dhìcheall
a' chèilidh a chumail
a' dol fhathast
gu uairean beaga na maidne
agus briseadh an latha

Johnny Come Lately

Johnny come lately coming in last fashionably some
would say too late would say others but despite my
tardiness I'll do my best to keep the cèilidh going yet
until the wee small hours and the break of day

Eòghan Stiùbhart

Ròsan

Ma 's e blàth a' ghràidh an ròs dearg
's e blàth a' chàirdeis an ròs geal;
cha bu mhiann leam an còrr ach do bhlàth bàn
seach làn bhlàth dearg nam èiginn is nam chàs

Ròsan

If the red rose is the bloom of love and the
white the bloom of friendship I'd rather nothing but
your white rose than a thousand red ones in my time
of need

An t-Sultain

Dh'fhàs thu tiugh leis a' bhrochan nach robh bàn
is nuair thàinig an gort cha do sheas thu ri càs
bu mhòr am beud gun robh do mhiann
ceangailt' ri spòran mòr 's foghar grianach

September

You grew fat on the thick porridge and when the
famine came you didn't stay how sad your wants
were dependent on a big wallet and a sunny autumn

Reul ann an Iarmailt Afraga
(Marbhrann do Mhac Ghana)
Do Richard Hanson Manful

Bu tu Afraga
Bu tu Reul Dubh
Bu tu Glaschu
agus caraid dlùth
Bu tu Criosdaidh
daingeann, buan
Bu tu fireannach
eireachdail, stuama
Bu tu Bob ri mo Pheadar
is tha thu a-nis air tilleadh dhachaigh

Duilich a chreids' nach eil thu tuilleadh fon ghrèin
Nach suidh sinn a-chaoidh ag amharc air na neòil
A' deasbad mu bheatha agus shaoghal Dhè
'S na sgòthan a' taomadh a-steach air làithean òige

Doirbh a ràdh cuin a chunna mi thu mu dheireadh
Cuin a chuala mi do ghliocas, do ghuth is do ghàire
An ann am bruadar no cuimhne a bha sinn a' tathaich
aon oidhche ann an Glaschu fo sholas sràide?

Chuir Magaidh Dhubh do dhealbh dhomh an-diugh
Is bha do choltas cho solt leathach slighe às an doras
Tha amharas agam gun robh thu riamh mar sin
Leth-chas san rìoghachd seo is cas san rìoghachd eile

42

A star in the African Sky
(Elegy for a son of Ghana)
For Richard Hanson Manful

You were Africa You were a Black Star You were
Glasgow and a dear friend You were a Christian
Steadfast, lasting You were a man handsome, sober
You were the Bob to my Peter and now you've flown
away home

Hard to believe that you aren't under the Sun That we
won't ever sit together gazing at the stars debating life
and God's world and the clouds rolling in on the days
of our youth

Hard to say when I last saw you when I heard your
wisdom, your voice and your laugh Was it in a dream
or memory that we hung around one night under a
Glasgow street light?

Maggie Dubh sent me your picture today and you
had that gentle look on your face halfway out the door
I suspect you were always that way One leg in this
kingdom and one in the other.

Eòghan Stiùbhart

greann

mar gun robh mi ann am bruadar
chunna mi air creig seiche-ròin ruadh
's dà bhiast-mhaol a' siubhal bhuam

is iad gun fhuaim tron uisge a' gluasad
mar fhaobhar-sgèine geur fuar
mus tàinig an cinn le plub dhan uachdair

grian geamhraidh a' gathadh nam beann
greann air a' chladach 's fairge gun ghreann
dh'fhàg mi seal-mara is shreap mi na creagan

feumaidh gu robh e am bruadar
feasgar sa churaich air a' chaolas uaine
is eilean nan each ga threigsinn gun bhuaidh

greann* both siren and ripple

as if in a dream I saw on a rock a red selkie skin and
two seals moving from me
and they moved soundless through the water like a
cold sharp blade until their heads came with a "plop"
to the surface
winter sun spearing the mountains siren on the shore
and the sea without ripple I left the foreshore and
climbed the rocks
It must have been in a dream an afternoon in a canoe
on the green kyle and horse island left unbowed

Eòghan Stiùbhart

Faoileag Mhòr

B' àbhaist dhan fhaoileig mhòir na tuinn a riaghladh
a' creachadh stòras nan cuantan 's i a' sgiathlaich
's ged bha i cheart cho làn de chac 's tha an-diugh innte
bha beagan glòir fhaoin ann am meud a sgiathan

A-nist bidh i a' riaghladh nan sìtigean
a' sgriachail 's a' sàrachadh le spùt is dìobhairt
a' biathadh a h-àil le sgudal is sliseagan
agus 's i a' seirm gu h-àrd gur i bànrigh nan tìrean

Gull

the seagull used to rule the waves raiding the oceans'
treasures on the wing and though she was as full of shite
as she is today at least there was some vainglory in her
wing span

now she rules the middens feeding her young on trash
and chips screaming and harassing with vomit and
skitters and proclaiming from on high that she is queen
of all the land

Eòghan Stiùbhart

Na Làithean Gorma

Bha an geamhradh sin cho càilear tlàth
a' Ghrian san adhar ciontach blàth
mar nach robh i an ath là 'n dùil èirigh

thill eagal an t-solais oillteil le beum
teas an uabhais a dhubhas às gach reul
an iarmailt leugach Dhùthaich Dhè

an searmonaiche tiomail ga chrochadh
o na cabair le ball beumach a lotan
peacach eile a stob làmh na bheatha fhèin

am blàr lom gun fhraoch san Fhàsach
feuch fo sholas faoin ar cuid de Phàrrais
on chaidh ar n-àras na dhùthaich chèin

The Blue Days

That winter was so pleasantly mild the Sun in the sky
guiltily warm as if she didn't expect to rise the next day
The terror light returns with a blow the horror heat
which will black out every star in the jeweled sky in
God's Country
The splendid preacher hangs from the rafters with the
biting ropes of his wounds just another suicidal sinner
The bare heath in the Wilderness Lo! under a weak
light our little bit of Paradise since our garden became
a foreign land

Eòghan Stiùbhart

dreaman

na inns dhomh sìon
inns dhomh a h-uile sìon
inns dhomh gun innse
fosgail is freagair
cuir air cleith
fan socair
cagair rium
gleus fonn do chridhe
can rudeigin
na can rudeigin
sìn ri mo thaobh
a-nochd is oidhch' eile

fit of passion

don't tell me a thing tell me everything tell me without
telling open and answer hide away stay silent whisper
to me play the song of your heart say something say
nothing lie by my side tonight and another

51

casg

Tha coltas ro mhòr air a h-uile sìon

block

everything seems too large

Eòghan Stiùbhart

Anns a' Choille Àighich...

Dh'ith mi smeuran abaich sùghmhor
ann an solas feasgar Dàmhair
Peadar air an do thog mi m' eaglais;
giùthsach uain' Chreag Phàdraig
a' chreag ìochdair fo chòta tiugh
de chòinnich is de chonasg

Chnuasaich mi air seann Dùn Bhridei
agus na tobhtaichean gloinichte
aig Làrach Aosta an Taigh Mhòir
's casan Cathair an Fhuamhaire;
m' àrach òg am measg a' ghiùthsaich
agus m' fhasgadh bho gach uabhas

In the Joyful Forest...

I ate the ripe, juicy brambles in the light of an October
evening this Peter on which I built my church the
green pine-forest of Craig Phadrig the lower rock
under a thick coat of gorse and moss

I considered Brude's old fort and the vitrified ruins of
the Big House and the legs of the Giant's Chair my
young fostering amongst the pines and my shelter
from all terror.

Eòghan Stiùbhart

eilid

uair bha mi nad fhorsair
air slèibhtean lom na frìthe
agus dh'èistinn ri do chrònanaich
cho bàidheil ri mo chridhe

ach ghabh mise am frith-rathad
a' dìreadh nuas bhon a' cheò
agus chaidh mi an sin fon choill
nam shealgair gun deòin

dh'fhàs mi gog-cheannach
ag èisteachd son do rannan
's mi a' sìor-chuimseachadh ort
le miann tro na crannaibh

ach ged a gheibhinn urchair
bu shuarach orm a tilgeil
b' fheàrr leam fhèin tèarmann a chur
gun chrìochan mu do chridhe

hind

once I was your watchman on the bare slopes of the
deer forest and I would listen for your murmur so dear
to my heart
but I took the hunting path descending from the mist
and I became an outlaw, a hunter without will
I grew light headed listening for lowing as I aimed at
you with desire through the trees
But yet if I had the shot it would be bitter to throw it,
rather I could place a sanctuary without boundaries
round your heart

Eòghan Stiùbhart

Cochall (Panolis Flammea Redux)

craobhan air
an cagnadh
leòmann beag
croinn liath
cabhlach fuathach
asnaichean geala
poll-mòine fuar
mìle fuadach
stuic mharbh
chunnacas às ùr
togail chridhe
sìor-uaine, buan
bàs, buaidh

Cocoon (Panolis Flammea Redux)

tree chewed. little moth. grey masts. ghost armada.
white ribs. cold peat. thousand clearances. dead stumps.
seen again. heart raising. green eternal. death life.

Eòghan Stiùbhart

's dìomhain dhuinn a bhith cho faoin

Rinn mi mìm.

"Tha an t-aran aig fois
Tha e na thost."

Fealla-dhà.

Bha mi caran moiteil às.
Feumaidh mi fhèin
aideachadh.
Agus thilg mi dhan t-sruth i.

Cuimhne mhòr
an Eadar-lìn.

Far an tèid gach rud,
gach smuain, gach beus
gach smugaid, gach beum is toibheum,
a chuimhneachadh
's a dhìochuimhneachadh
ann am priobadh na sùla.

Rinn mi mìm.

"Teann a-nall"
agus Prionnsa a' tabhann
bonnach.

Fealla-dhà.

's dìomhain dhuinn a bhith cho faoin

I made a Gaelic meme.

"Tha an t-aran aig fois
Tha e na thost."

Funny. Haha.

I was a little proud of that
I have to
admit
And I threw it into the stream.

The internet's big memory.

Where everything
every thought, every virtue
every spit, every blow and blasphemy
is remembered
and forgotten
in the blink of an eye.

I made a meme.

"Teann a-nall"
and Prince offering a pancake

Funny. Haha.

Eòghan Stiùbhart

Àth-aoil

Thig ciaradh air mo chuimhne
Blas an aoil air mo theangaidh
A dh'aindeoin gach searbhachd
Air mo ghaol, cha tig seargadh

Limekiln

my memory darkens, the taste of lime upon my tongue,
despite all acidity, my love does not dissolve

Eòghan Stiùbhart

Deich bliadhna a dh'fhalbh

Sheas sinn feasgar Dàmhair sa Ghearran
ris a' chuan, a' cluinntinn na h-ataireachd
air a' chladach fo Shorstal Bheag
sgàilean Mhealasbhail is Thathabhail dubh-dorch
ris an iarmailt òr-ghorm na ciaradh.
Smaoinich mi air a' mhadainn òig ud
nuair a chunna sinn clamhan ag èirigh
o chùl a' bhalla-crìch le rabaid na spuirean
a' sgiathalaich ri taobh a' chàir son mòmaid
mus do chuibhlich e os cionn Tràigh nan Srùban
agus chuir mi romham gum pòsainn thu
's nach dealaicheadh sinn a-chaoidh.

Sheas sinn feasgar Gearrain san Dàmhair
air a' chreig aig Cinn Mhara
Baile Dhùn nan Gall na shìneadh fodhainn
's sgòthan glasa làn bhagairt silidh.
Smaoinich mise air na fògarraich thruagh
a' feitheamh gu h-acrach ris a' chladach
air luing nan daoine a bhiodh gan giùlan
nam mìltean mòra thar nan cuantan.
Ach thusa, bha thusa a' cnuasachadh
air m' fhaclan cearbach ceàrr a bha air
do chridhe coibhneil a shàthadh gu buan
agus chuir thu romhad nuair a ruigeadh tu an cuan
gun dealaicheadh sinn a-chaoidh.

Ten years gone

We stood an October afternoon in February beside the
sea, listening to the surge on the shore below Sorstal
Beag the shadows of Mealisval and Tataval dark-black
against the dimming blue-gold skies. I though about
that morning when we saw a buzzard rise from behind
the township wall with a rabbit in its talons flying beside
our car for moment before it wheeled over Tràigh nan
Srùban and I decided there and then that I would marry
you and we would never part.

We stood a February afternoon in October on the cliffs
at Kinvara, Donegal town stretched out below us and
the clouds grey and full of the threat of rain. I thought
about the poor exiles waiting hungrily by the shore on
the coffins ships that would bear them in thousands
over the seas. But you, you were chewing on my clumsy
wrong words that had pierced your heart forever and
you decided there and then that when we reached the
Sea that we would forever part.

Eòghan Stiùbhart

Màiri Dhubh

    Is truagh nach robh mi thall a' seòladh a' chaoil
's bàta mo ghaoil a' siubhal fom stiùir
's i *Màiri Dhubh* air an t-sàl fo làn-shiùil
    Is truagh nach robh mi thall a' seòladh a' chaoil

far am faca mi mo rùn anns a' chiad uair
le siùil dhubha, is i togte, sgairteil, bhuam
    Is truagh nach robh mi thall a' seòladh a' chaoil

far am faiceadh mo chrann a' treabhadh a' chuain
's mi ridire air muin a' marcachd nan stuagh
    Is truagh nach robh mi thall a' seòladh a' chaoil

's mo bhratach na ghlòir 'm bàrr a' chruinn
's sròn an eathair a' bualadh tro na tuinn
    Is truagh nach robh mi thall a' seòladh a' chaoil

far a bheil *Màiri* a-nis fo sgiobair òg faoin
ach stiùirinn i gu caladh tearainte caoin
    Is truagh nach robh mi thall a' seòladh a' chaoil

a' ghaoth ri mo chùl, blas an t-sàil air mo bheul
a' tilleadh dhan fhasgadh le *Màiri Dhubh* fon reul
    Is truagh nach robh mi thall a' seòladh a' chaoil

Màiri Dhubh

What a pity I wasn't yonder sailing the Kyle
And the boat that I love under my command
The *Màiri Dhubh* on the brine under full sail
What a pity I wasn't yonder sailing the Kyle etc

When I first saw my love for the first time
with her black sails, well built and fine before me

Where they'd see my mast ploughing the sea
And me as a horseman riding the waves

And my flag flying high upon the mast
And the prow of the craft cutting the swell

But *Màiri* is now under a daft young skipper
If only I could steer her to a safe and delightful harbour

the wind at my back, the salt on my tongue
returning to safe anchor with *Màiri Dhubh* under the stars
    What a pity I wasn't yonder sailing the Kyle

Eòghan Stiùbhart

an doras dùinte

is cuimhne leam an dìle bhàthte
's mi nam chrith san fhasgadh bheag
a bha agam on uisge a' dealltadh nuas
's mi nam sheasamh air an starsaich,
rinn an doras brag nuair a dhùin thu e
led uile neart, 's tu ro gheur is ro chutach,
an t-sradag a chuir an cruinne-cè
's ise air a smaladh ann an tuil
an deicheamh latha den Mhàirt

ach chaidh thusa nad chuimhne rèitichte
aon reul-iùil bàigheil air iomall mo lèirsinn
's thàinig tèile, ban-dia chèin,
a lion an cruinne-cè le reultan
dreagan, sàr-nobhan agus tuill dhubha
's dh'fhosgail i gach doras sna speuran
's rinn a teine-speur dall mi
mus do theich i gun rabhadh
an deicheamh latha den Mhàirt

dh'fhàg ise an doras fosgailte
's thuirlingeadh gach cràdh is gach cuimhne
mar gheal-shruth nan speur troimhe
cha do mhothaich càch ris an fhuachd
air neo theich iad aiste gu furast'
agus thàinig aon toll dhubh troimhe
a chaidh as àicheadh gach fianais
gu robh speuran no doras no solas ann
an deicheamh latha den Mhàirt

68

the closed door

I remember the deluge as I shivered in the little shelter
I had from the rain chucking down, as I stood on the
threshold the door shut with a bang when you closed it
with all your strength, and you so cutting and sharp, the
spark which lit the universe, and it extinguished in the
flood on the tenth day of March

But you became a reconciled memory, a kindly guiding
star on the edge of vision, and another came, a foreign
goddess who filled the universe with stars, comets,
supernovae and black holes and she opened every door
in the heavens and her starlight blinded me before she left
without warning on the tenth day of March

She left the door open and every pain and memory would
alight like the Milky Way through it. Some wouldn't
notice the cold or they escaped too easily and one black
hole rumbled through and in the face of all the evidence,
denied that there were heavens or a door or even light, on
the tenth day of March

Eòghan Stiùbhart

latha nan deich deicheamhan
ro fhada ga fheitheamh, 's ro fhada fon ghrèin
nuair a bhoillsg gath de chuimhne air an oir
's thionndaidh mi thugad oir b' ann leatsa
a bha an ciall 's an tuigse 's an neart
a' ghiorrachd 's an lasair 's am faobhar
a ghearradh tron t-solas le ciaradh
is dh'iarr thu orm èirigh agus an doras a dhùnadh leam fhìn
an deicheamh latha den Mhàirt

Rinn an doras brag mòr nuair a dhùin mi e
's shìn mi san dorchadas gun chinn-là
ag amharc air na speuran gun reul
a' feitheamh air an t-sradaig ùir.

The day of the tenth tenth too long awaited under the sun, a twinkle of memory came from the rim and I turned to you for you had the sense, understanding and strength, the sharpness and the fire and the edge to cut through the light with some darkness and you told me to rise and shut the door myself on the tenth day of March

The door made a big bang when I shut it and I lay in the dateless dark looking on the starless heavens awaiting the new spark

Eòghan Stiùbhart

eun fionn

Tha eun fionn on àird an iar
a lionas mo chridhe le eud
ri loch nach fhaca mise riamh
a' seinn cho binn air geug

b' fheàirrde gur mi craobh ann
mo chrann le duilleach làn
's à eunlaith den a h-uile sgaoth
bhiodh an t-isean orm na tàmh

an uiseag bhàn, 's i cho àrd
air sgèith os mo chionn
air mo mheur rinn i laighe
le sgiathan àlainn fionn

tràth aon mhoch mhadainn òg
a dh'èist mi ri a ceilear
ach ro fhad' bha i fo chuing an crò
is cha b' urrainn dhomh a glèidheil

's aithne dhomh g' eil miann baoth
's mi freumhaichte san talamh
an uiseag gheal a nì mi maoth
nuair as cuimhne leam an tamall

a bha an riabhag as àille leam
a' tathaich air mo gheug
na h-iteagan geala a thog mo ghean
's a sgiathlaich bhuam le beum

white bird

White bird of the west that fills my heart with jealousy
upon a branch beside a loch I've never seen singing so
sweetly.

Oh that I was a tree there my trunk full of leaves and of
all the birds of every flock that bird would rest on me

The fair lark, and she so high in flight above me, upon
my limbs she did lie with beautiful fair wings

Early one morning I listened to her song but she was
too long in a cage and I couldn't keep her here

I know that desire is vain and that I am rooted in the
earth, O white lark, which leaves me tender when I
think about the time

That the loveliest bird did hang upon my branches,
those white feathers that lifted my spirits then flew
from me with a single beat of its wings.

Eòghan Stiùbhart

Gathan

Rachainn air chall
sna sùilean sin
fad dusan Gealach
's an gach abachadh
's gach ciaradh
bhithinn a' coiseachd
fo an solais
a nì mo shaoghal
gorm oir tha 'ad
cho fad às.

Rays

I could get lost in those eyes for a dozen Moons and in each waxing and waning I would walk under their lights which make my world so blue because they are so far away.

Fiùran Ùr den t-Seann Abhall

Dh'àraicheadh tu ann an lios
a dh'ullaich mi leis a' pholl cheart
's na dh'iarradh tu de dh'uisge
agus dh'fhasgadh is dh'fhaileas
mus do chuireadh tu sa ghàrradh
far an seas thu ann fhathast.

Cheangail mi teadhair riut air eagal
's gun cromadh tu san oiteag a b' aotruime.
Chuir mi còmhdach umad gus
nach rachadh do bhuain leis na caoraich.

Shìn thu do mheuran gu sona ris a' Ghrèin
agus chinnich thu seang agus àlainn,
le do dhuilleach mu choinneamh an t-sluaigh
agus do mheasan os cionn an t-Saoghail.

Bhris thu an teadhair, agus sgàin thu an còmhdach,
agus sheas thu gu daingeann ris na siantan
leis an rùsg a dh'fhàs thu fhèin.

A-nis tha mi aosta, mar gach fear a chuireas fiùran
's chan urrainn dhomh ach amharc 's tagradh
gur ann dubh-dhomhainn do fhreumhan san ùir
far an tèid mo chur a dh'aithghearr,
's gum mair thu fada ri beum nan sian
mus nochd am foghar deireannach
a thig air gach fiodh is gach feòil.

A New Sapling from the Old Apple Tree

I raised you in the nursery that I prepared with the right
soil and all you could need of water and shade and shelter
before I planted you in the garden where you stand still.

I tethered you because I was scared that you would bend
in the slightest breeze and I covered you to ensure you
weren't grazed by the sheep.

You stretched your limbs happily to the Sun and you grew
lovely and supple, your foliage in full view of the people
and your fruits above the World. You broke the tether
and you split the cover and you stood strong against the
elements with the bark you grew yourself.

Now I am old, like every man who plants a sapling and I
can only watch and plead that your roots are dark-black
in the earth where I will be planted soon and that you will
last long against the blow of the elements before the final
autumn that comes to all wood and flesh

Eòghan Stiùbhart

rathad is frith-rathad

Tha an rathad a dh'ionnsaigh an dorais ud
cas ann an roinnean, cam ann am pàirtean,
thèid mi dall seachad air a lùban.

Stadaidh mi na mheadhan air oidhche reòite
gus amharc air an t-Sealgair an iarmailt reultach.

Tha an rathad a dh'ionnsaigh an dorais ud
a' dol gu Siar, a' dol gu Sear,
leis na fèidh ag ionaltradh
air gach taobh dheth.
a' dìreadh a-nuas tron choille,
a' tuiteam bhon bhealach,
faileas nam beann, lainnir an locha
an uair sin fois.

Cha tèid mi a dh'ionnsaigh an dorais ud tuilleadh.

road and path

The road to that door is steep in sections and twisty in places
and I go blind over its bends.
I stop in the middle on a cold night to look at the Hunter in
the starry sky.
The road to that door goes West, goes East, with the deer
grazing on either side.
Descending from the forest, falling from the pass, the shadow
of the mountains, the glimmer of the loch, then peace.
I will not go to that door anymore.

Eòghan Stiùbhart

Thug mise dhut biothbhuantachd

Bha mi a' saoilsinn an là eile
gun robh mi a' sgrìobhadh cus bàrdachd
air boireannaich
a thug buaidh de sheòrsa orm
agus shaoil mi rium fhèin
"dè tha sin a' cantail mun fheadhainn
air nach toir mi luaidh le duanag
air choireigin?"

Uill, tha an dàn seo dhuibh, a leididhean.

I gave you eternity

I thought the other day that I wrote too much poetry
for women who've had some sort of effect on me and
I thought to myself "what does that say about the ones
who I don't mention in some ditty or other?"
Well gals, this one is for you.

a' siubhal chun na Grèine

a' siubhal chun na Grèine
aon fheasgar Samhna fuar
a' dìreadh nuas na beinne
air tòir an t-solais bhuain
a' dol às dèidh nan gathan
a shàthas tro na geugaibh
saoghal ùr an tùs a' gheamhraidh
a' fosgladh air mo bheulaibh

a' siubhal chun na Grèine
fo sgàilean gorma craobhach
nèamh le dath a' ghuirmein
cuimhneachan gach taobh dhìom
reòthadh a' liathachadh a' ghaisein
is am balla-crìche mu làr
an talamh le cruas an daoimein
na lòin le faileasan làn

Walking toward the Sun

Walking toward the Sun one cold November evening
descending the mountain after the everlasting light chasing
the rays that stab through the branches a new world in the
mouth of Winter opening before me

Walking to the Sun under blue tree shadows Heaven with
the shade of indigo and memories either side of me frost
whitening the whin and the fallen boundary wall the earth
as hard as diamond and the puddles full of reflections

Eòghan Stiùbhart

Stiùbhartach Leathanach

*"Never forget that we are the bastard people of a
   mongrel nation"*
Uilleam Mac Giolla Mheana

mèirleach mi, ceàrd nam briathran
air mullach Chnoc an t-Sagairt
a' rùrachadh bhriathran is bhloighean
a' goid dhùrachdan is rannan
a' rannsachadh nam fhreumhan
airson an duan seo a rèiteach'
nam aonar gun aonranachd,
ri obair-ciùird uaigneach
air an tulach uarach
an abhainn rim chùl an dràsta,
's mi a' feuchainn air a' mhuir
mum choinneamh an fhàire,
an dubhar mum chuairt,
agus an tùs a' teannadh nas fhaisge.

cearcaill choncraite Chomar nan Allt
achaidhean abaich an t-Sraith Mhòir,
Siorramachd Pheairt làn òrachas na h-òige
giùthsaich Chreag Phàdraig òr-dhonn as t-fhoghar
foghlam beatha shràidean Ghlaschu òr is dubh,
An Cuilitheann agus an Linne Shlèiteach air madainn reòite
fhuar, on aiseag, beanntan Asainte is na Còigich air fàire.

Maclean Stewart

I'm a thief, a word-tinker on top of Priesthill raking through
words and blurbs stealing sentiments and verses ransacking
my roots to make this poem.
Alone without loneliness involved in this solitary craft on the
high hillock the river at my back beholding the sea facing the
horizon the darkness surrounding me and the start drawing
nearer

Cumbernauld's concrete circles
Strathmore's ripening fields
Perthshire full of youth's goldness
Craig Phadrig golden brown in autumn
And the university of life on Glasgow's gold and black streets
The Cuillin and the Sound of Sleat on a cold and frosty
morning
From the ferry Assynt and Coigach's mountains on the
horizon
Suaineabhal and Mealasbhal and the clouds
Rolling in from the Atlantic
The cool shade of the branches in Contin from the rumbles
of war
The taste of Guinness in Tigh Chualain

Eòghan Stiùbhart

Suaineabhal is Mealasbhal agus na sgòthan
a' taomadh a-steach bhon Chuan
fasgadh fionnair geugan Chunndainn o ànradh a' Chogaidh
blàs na pinnt dhuibh an Tigh Chualáin is
àrd-bharraidean Pháirc an Chrócaigh
lagan dìomhair a' ghràidh
nach aithne ach dhaibhsan a bha ann
Dùn Èideann lom is gaothach mar a sgrìobh Mac a' Ghobhainn
Machair Rois an Ear far nach robh an Guinneach buileach
cho sunndach ri mar a bha e ann am fasgadh Bheinn Uamhais
mar a bha mi fhìn fo Thòrr Achillidh
ged tha iomadh buadh ri fhaotainn
san leathtag seo de Shiorrachd Chrombaidh
agus iomadh àite eile ris nach do thachair mi fòs.
fàilte chridheil Ach Mhòir, Chrosail, Taigh an Eilein,
Ollach Uarach, Ancastair, Lunnainn, An Ròimh.
àl mo chàirdean as còire dhomh
a' leantainn cois-cheum am pàrantan,
pògan is crathadh làmhan ann an iomadh àite.

is mo mholadh air cìobairean Ruadhainn
a chaidh nam mèinnearan Labhdaidh
a dh'èirich o mhionach an t-saoghail
gus an còraichean a sheasamh
agus caileag-frithealaidh Dhùn Mheinidh
agus luchd-tuineachaidh Uladh
agus na fògarraich Mhuileach
a thuinich Eadar Dà Fhadhail

The terraces of Croke Park
The secret hollows of love
that only those who were there know
Edinburgh, bare and windy as Crichton Smith wrote
Easter Ross where Gunn was never
as happy as he was in Ben Wyvis' shade
as I was under Torr Achility
although there are many virtues
to this exclave of Cromartyshire
And a thousand other places I haven't been yet.

And my praises to the Ruthven shepherds who became
Lothian miners and rose from the bowels of the earth to
claim their rights And the Dalmeny servant girl and the
Ulster plantation men and the Mull exiles who settled in
Ardroil the Baltic merchants on the "Express" in the shelter
of Holm, the Seaforth soldiers Timsgarry Post Office and
the red phone box the people of Garafad the Shiadar nurses
and the Glenmore crofters.

The gentlemen of the pulpit and the loving wives one
couple between Fife and grey granite Gordon
and the other between the Caribbean and Kinlochbervie
my mother and father in New College my brothers to me
so different yet so similar

and me just standing here.

Eòghan Stiùbhart

luchd-malairt a' Bhaltic air an "Express"
ann am fasgadh Thuilm; saighdearan Shìophoirt,
post oifis Thimsgearraidh agus am bogsa dearg,
muinntir Gharafad, banaltraim Shiadair
is croitearan a' Ghlinne Mhòire.

uaislean na cùbaid agus na mnathan gràdhach
aon chàraid eadar Fìobha
is clach liath-ghlais Ghòrdain
an càraid eile eadar an Caribbean
agus Ceann Loch Biorbhaidh
mo mhàthair is m' athair sa Cholaiste Ùr
mo bhràithrean cho diofraichte
ach cho cosail rium-s'.

agus mise an-seo nam sheasamh.

Eòghan Stiùbhart

Panolis Flammea – "Pine Beauty Moth"

Bha na craobhan air leth-fhàs aig Gearraidh na h-Aibhne
nuair a chaidh na cuilg-chònach a chagnadh
is thog an leòmann beag croinn liath lom fhuar
mar chabhlach nam fuath do mharaichean an Ach',
asnaichean geala sa chladh-chraobh gun sealladh air a' chuan
mar nach bu dual dha mhuinntir an eilein,
agus aon shamhla eile de dh'eug sa pholl-mhòine fhuar
amhail mar àirighean Chlach Ghlas Fiar Allt
no seann-tobhtaichean falamh nam mìle fuadach;
an uair sin, eadar na stuic mharbh, thàinig am fàs
agus chunnacas às ùr e; gorm, glas, uaine
agus thug e togail dhan chridhe a dh'fhaicinn
bòidhchead a' ghiùthsaich sìor-uaine is buan;
nach do shluig an leòmann beag aoireil i gu tur
is gun tàinig air a' bhàs buaidh.

Panolis Flammea – "Pine Beauty Moth"

The trees had half grown at Garynahine
when the needles were chewed
and the little moth raised cold bare grey masts
like a ghostly fleet for the Achmore sailors
white ribs in a tree graveyard without a view of the sea
so unlike the customs of the people
and one more sign of death in the cold peat soil
just like the shielings at Clach Glas Fiar Allt
or the old empty ruins of a thousand clearings
then, between the dead stumps, the growth came
and it was seen again, green, green, green
and it raised the heart to see
the beauty of the pine forest, everlasting and evergreen
that the satirical little moth had not swallowed it all
and death had been overcome

Eòghan Stiùbhart

Ge b' e cho tearc 's a tha thu...

Is tric gum b' fheàrr leam gun robh thu
am beul gach siùbhlaiche sràide;
gum biodh tu ri mire air gach raon,
ri reul na h-oidhche cho pailt;
gun cagairte thu eadar gach leannan
le togail glainne gun cluinnte do shlàinte.
Ach sona sàsaichte gu leòr mi leat
is tu nad annas ainneamh, àlainn,
mar an gràdh geal bu docha leam.

O chànain mo chridhe, mo Ghàidhlig.

Dàin Eile às
an Iarmailt Liath

Eòghan Stiùbhart

Sèideadh

Rugadh mi anns an fhèath
às dèidh a' chathaidh mhòir
bu dhomhainn gileachd an t-sneachd
ri bruthaichean a' bhealaich
nuair thill sinn-seanmhair na gaoithe
dhan ùir chreagaich a rug i

Bha mi nam oiteag bhlàth
tron eòrna is lus-ola a' siabadh
soirbheas thar sìdhbheanntan
a' sgleogadh an aghaidh
ballaichean a' bhathaich
's a' sireadh fasgadh

Dh'èirich mi an uairsin
mar ghaoth a tuath
tro làithean dubha agus fuara
air monadh fada bhon mhuir mi
dh'fhairich na taighean
mo fhlin ghreimeach ghruamach

Chaidh mi an iar nam ghailleann-mara
's suail a tuath a' tulgadh gach aiseag
cho fad a shiubhail mise
feadh nan cuantan
os cionn nan osagan iomaineach
bha mo ghaoir san oidhche mar shaorsa

Blowing

I was born in the calm after the great blizzard the
whiteness of the snow was deep against the banks of the
bealach as the great-grandmother of the wind returned to
the rocky soil that birthed her
I was a warm breeze through the barley and rapeseed
flowing a favourable wing over the fairy hills that would
slap against the barn walls and sought shelter
I arose then as a north wind through dark and cold days
on a moor far from the sea I was and the houses felt my
gripping grim sleet
I headed west as a seastorm and the north swell tossed
every ferryboat as I travelled the oceans above the driving
gusts my cry in the night was freedom
I am a hurricane, a hurricane, a hurricane, full of noise and
blows, the destruction of the seven elements surround me,
vain exile and anger but in my wake a strange calmness
and the grey light of day in the southern sky
When I awoke in the morning the quiet calm of youth
had returned again and I was born again in the warmth of
summer every point of the compass waiting upon me

Eòghan Stiùbhart

doineann doineann doineann mis'
làn de dh'fhuaim, 's de bhualadh
sgrios nan seachd sian mun cuairt orm
fògradh faoin agus fearg
ach na mo shàil-sa ciùineas àraid
's mu dheas solas glas an latha ann

nuair a dhùisg mi
anns a' mhadainn
thill fèath glan na h-òige as ùire
's rugadh mi a-rithist
'm blàths an t-samhraidh
a h-uile ceàrn a' feitheamh orm

97

Hyperborea

Tha mise thall 's blàth
taobh tuath na gaoithe
ach thar gileachd an fhàsaich
sa dorchadas air iomall tìme
tha NicCoinnich na seasamh
le lanntair na làimh
a' cur a h-aghaidh ris an t-sneachd
an solas a' sgiathalaich
measg bhleideagan

Hyperborea

I am over-by and warm at the back of the North Wind
but over the wilderness whiteness in the darkness on
the edge of time Mackenzie she's standing with a lantern
in her hand her face against the snow the light flying
amongst the flakes

Alacant

Choisich mi tro *jardin del angel*
às dèidh dhomh
ann an *ermita de santa cruz*
ìomhaigh ghlaiste lom fhaicinn
de rìgh air a sgeadachadh
ann am purpaidh agus cràdh

bha mo bhràthair a b' òige
còig slat air thoiseach orm
a-measg nan crann-ola
's nan craobhan òraiste
an talamh odhar fo ar casan
air lic *Mhonte Benacantil*

dh'èirich dhomh
gàradh eile far an robh aingeal
air an aon talamh odhar
ris na h-aon phreasan liath
a' nochdadh ri dithis pheathraichean

thàinig mo bhràthair agus thug e a-nuas mi

's choinnich mi ris a' ghàirnealair

     gàire air aodann

's esan ag ràdh

       tiugainn conmigo

Alicante

I walked through the garden of the angel after seeing
in the chapel of the holy cross a barren locked up
statue of a king all dressed in pain and agony
my youngest brother was walking about five yards in
front of me amongst the olive and orange trees on the
dun coloured soil on the slabs of Monte Benacantil
Another garden came to me where an angel standing
on the same coloured soil and by the same greyblue
shrubs appeared to two sisters
My brother came and picked me up and I met the
gardener smiling and saying come with me

Eòghan Stiùbhart

Stafainn

Tha mo chnàmhan an seo
leth-bhriste, a' tuiteam dhan chuan
ma bha teanga nam chlaigeann
bhiodh cainnt na tìre seo oirre

Dh'fhàg an crathadh mi
mar chreag sgàinte ris na stuaghan
mo thràighean geala air an reubadh
an gainmheach air falbh leis an t-sruth

Tha an t-eilean bàn a' feitheamh
thall airson crodh na mara
tha an ùir gam thàladh le crònan
ach cha dèan mi cadal innte a-nochd

Tha am bealach dùinte le sneachd'
far an robh an dealachadh cheana
's ged tha mi a' dèanamh air Dùn Tuilm
seasaidh na stèidhean seo mi fhathast

Staffin

My bones are here, half broken, falling to the sea, if
there was a tongue in my skull it would have this land's
language upon it.
The upheaval left me like a split rock in the waves my
white beaches stripped of their sand by the current
The empty island awaits over there for the sea cattle, the
soil lulls me with its song but I won't sleep in it tonight
The Bealach is shut with snow where the separation
happened years ago and though I'm headed for
Duntulm these pillars will support me still

Eòghan Stiùbhart

Cairteal gu Còig

Gealach mhòr gu bras san adhar
chrom mi dhan làr air an lèanaig
far an robh an seann fhuaran
's chuir mi mo làmhan chun na driùchd
gus mo ghruaidhean a fhliuchadh
le dealt Bealltainn sa mhadainn òig

cha robh an geamhradh buileach air imrich
's bha gach bileag ghlas reòite sa ghormanaich
ged a rinn an lon-dubh mire
ann am beul dearg an latha
's beithir-theine do ghaoil air fàire
bha i ro fhad' air falbh
mo mhadainn Chèitein a leaghadh

Quarter to Five

A big bold moon in the sky I bent down to the green where
the old spring was and I put my hand in the dew to wet my
cheeks with the Beltane moisture in the early morning.
The winter hadn't gone completely and every green blade
was frozen in the dawn although the black bird delighted
in the red mouth of the day, and the dragon fire of your
love was on the horizon, it was too far away to melt my
Maymorning

Reul an t-Samhraidh

Ghabh mi cuairt air oidhche
le ìne de ghealaich
agus saideal a' gluasad
gu dòigheil tron dubhar liath
os cionn bhioran dubha
na coille far an robh reul fa leth
a' tathaich mar chorra-bhàn
air a' gheug a b' àirde
's bha a' bhruthach làn
de chùbhrachd
chrotalach nan craobh
's gealladh glan an t-samhraidh

Star of the Summer

I took a walk at night with a nail of a moon and a satellite
moving gently through the blue dark above the black needles
of the forest where a solitary star was hanging like a heron on
the highest branch and the slope was full of the trees' lichen
perfume and the perfect promise of summer

Siantan

Meadhan-oidhche
's tha mi air tilleadh
dhan lòn a bha nam mhàthar-uisge
a' Ghealach a' snàmh cuide rium
am measg uisgeachan na creige

Beul an latha
's falbhaidh mo lasag
le gaoth an spioraid mhòir
an tì a ruitheas air feadh na tìre
a chuireas na h-eòin air sgèith

Meadhan-latha
's thèid mi dhan àite sin
far a bheil an talamh gu lèir
ga shracadh 's ga sgàineadh
air tòir cànan ùr a' ghràidh

Beul na h-oidhche
's siridh mi cofhurtachd an teine
blàths do phògan 's do làmhan
cha tharraing sinn na cùirtearan
's an seòmar a' ciaradh gun fhiost'

Elements

Midnight and I've returned to the pool where I was the
source the Moon swam with me amongst the waters of
the rock
The Dawn and my flame flickers with the wind of the
great spirit, the one that runs through the land lifting
the birds on their wings
Midday and I go to that place where the earth is entirely
torn and split in search of the new language of love
Dusk and I seek the comfort of the fire the warmth
of your kisses and your hands we won't pull close the
curtains room darkening without us noticing

Eòghan Stiùbhart

Seargadh

Cheannaich mi flùraichean
mar gun robh mi ag atharrais ort
a' feuchainn ri lainnir d' àilleachd
a ghlacadh ann an dòigh air choireigin
Còrr is cola-deug on cheannaich mi 'ad
tha iad gun chrìonadh fhathast
's a' maireachdainn nas fhaide
na an dòchas a bha agam
gun tigeadh tu aon latha
fo bhlàth nam sheòmar-beatha

Withering

I bought flowers as if in imitation of you trying to capture
the glimmer of your beauty in some way.
More than a fortnight since I bought them they haven't
withered yet and have outlasted the hopes I had that one
day you would be in bloom in my living room.

Eòghan Stiùbhart

Moladh an t-Solais (às dèidh Neruda)

Lainntir leusach
lasadh
aiteal nan speur
soillseachadh
a' cur fàilte
orm
san tràth
mhadainn
's a' toirt soraidh
slàn
leam am beul
na h-oidhche shamhraidh

Nuair a chì
mi thu
tha gathan eile
gan dìochuimhneachadh
fradharc
mar lèirsinn
Ò sholais,
gam theagasg
mun t-saoghal
neo-fhaicsinneach
's mi nam oileanach
nad sgoil ghil

Ode to the Light (Neruda exercise)

Blazing lantern burning glimmer of the heavens shining
welcoming me home in the early morning and bidding
farewell to me in the mouth of a summer night

When I see you all other spears are forgotten my sight
becomes vision O Light you teach me about the unseen
world I am a student in your white school

Eòghan Stiùbhart

Cuiridh mi
air
le suidse
thu
a' spreadhadh
air feadh an t-seòmair
mar ghàire
cailin bhàn
a' ghùth àlainn
a dh'fhuadaich
an dorchadas
uair eile

Cuiridh tu
teich'
air an eagal
's an diomb,
eudòchas
's cràdh
a' gheamhraidh
eunlaith mo chridhe
a' cuibhleadh
nad ionnsaigh
le dannsa an neòil

I put you on with a switch and you explode throughout
the room like the laughter of the blond girl with the
beautiful voice who chased away the darkness once

You chase away fear doubt hopelessness and the agony
of winter the birds of my heart circle towards you as a
dancing cloud

Eòghan Stiùbhart

Chunnaic mi
thu 's mi
a' dol dhachaigh
mu dheireadh
thall,
bha thu crochte
os cionn
na starsaich
gam thàladh le
gealladh a' bhlàiths
a' seòladh a bhaile
thar cuan
nam beann
gu Cradhlastadh
mo chuid fhèin

I saw you as I returned at last you were hung above the threshold calling me home with the promise of warmth sailing back over an ocean of mountains to Crowlista of my people

Eòghan Stiùbhart

Leum

Creag lom ann am fearg na mara
air a ceusadh leis a' ghaoith
le crùn nan eun mu àird na fala
tuinn mar thàirnean, gath na taobh

dannsa gun deòin a bha na mhire
air an lic os cionn làn a' ghaoil
a bha na chonntraigh a dh'fhàg sligean
's maorach bàn air ulpagan maol

bha iad an caigeann a chèile
a' chreag, e fhèin 's a' ghaoth
ciar an aigeil air faobhar na gèile
's e an impis dol ma sgaoil

ach fhuair iad e san tìde-mhara
e fhèin 's a' chreag mar aon
bha a' Ghrian na laighe air cuan dalma
's cha do dh'fhairich e a' ghaoth

Jump

A bare rock in the sea's anger crucified by the wind with a
crown of birds around the high cliffs of blood waves like
nails and a spear in its side.
unwilling was his dance on the ledge above the sea of love
that had ebbed and left only shells and dead shellfish on
the the bare boulders
they stood and had a tete a tete, the rock, himself and the
wind, the darkness of the ocean floor was on the edge of
the gale as it all seemed set to dissipate
but they found him in the tide, he and the rock now as
one, the Sun shone on a presumptuous ocean and he no
longer felt the wind

Òr

Bha bogha-frois a' sìneadh
o Loch Aineoirt thar Druim na Cleochd
gu taobh thall Meall a' Mhaoil
bu choileanta e le gach dath am follais;
dearg na fala, gorm na sùla,
orains chèin, buidhe an t-seilbh
uaine an Eilein bhuain 's a shlèibhtean àrda
frìthean a' mhonaidh le boillsgeadh a' ghuirmein
's purpaidh an leòin shlàin
às dèidh a' chràidh

Gold

The rainbow stretched from Loch Aynort over Druim na Cleochd to the far side of Meall a' Mhaoil. It was complete with every colour bold, blood red, eye blue, alien orange, lucky yellow, the eternal island and its mountains' green, the heathermoors bursting indigo and the healed wound's purple after the pain.

Eòghan Stiùbhart

Uair Feasgar

os cionn a' mhonaidh liath
air cùl sgòthan tiamhaidh
bha mo ghaol na grian
a' tathaich mar shamhla san iar-dheas

mu stòr a' bhùirn ghabh mi 'n cuairt
's rèitich mi a' bheàrn eadar bàs is buaidh
bu dhoilleir an là a' sìneadh romham
gun ghlag a' seirm, gun ghath an t-solais

àite nan eas, an t-uisge a' crochadh
is sgàineadh mòr na h-Alba fodha
caoraich 's crodh ri ionaltradh
air leacan àrda nan ciontach

Thuit mo ghaol dhan làr
mus deach i na feannag a' dol an àrd
's chunnaic mi i eadar solas an là
agus Loch Aisidh nam Blàr

1pm

above the grey mountains behind melancholy clouds my
love was a ghostlike sun haunting the south west
around the reservoir I walked and I negotiated the
difference between victory and death the day was dull
stretched before me without a bell ringing or a ray of light
the place of the falls, the water hanging, and the big tear of
Scotland below sheep and cattle grazing on the high slabs
of the guilty
my love fell to the ground and then she became a hoodie
crow taking to the sky and I saw her then between the light
of day and Loch Ashie of the Battles

Eòghan Stiùbhart

Na h-Albannaich a' tighinn air tìr ann an Gaoth Dobhair

a-raoir chunna sinn gealach eile
eadar an sliabh 's an sgòth

agus an-diugh chì sinn grian eile
eadar creagan dearg' 's muir liath

sinne an sluagh gun dùthaich
ach an teanga briste againn le chèile

Gall-ghàidheil air cladach cèin
a' gabhail fois eadar na cathan

The Scottish coming ashore in Gweedore

last night we saw another moon between the mountain
and the cloud
and today we see another sun between the red rocks
and the blue sea
we are the people without any country except the
broken tongue we share
foreign Gaels on a foreign shore taking time between
the battles

Eòghan Stiùbhart

Lanntairean na h-Iolaire, Ùig 02.01.2019

Is bàs an t-solais mi
a' mùchadh nan lanntairean
fear às dèidh fear
an lasadh a' lagachadh
san treas oidhch'
na reultan gam falach leam
's cràdh na gaoithe
a' marcachd tro Chradhlastadh
nam Bàrd mar a rinneadh
le ridir an eich ghlais
a' bualadh air na dorsan
ann am bruadar Anna Ruairidh
a' fàgail Eòghainn
gus an deireadh
's thill mi dhachaigh
far an do dh'fhosgail mi
an doras 's mo shùilean
anns a' mhadainn

The Iolaire Lanterns, Uig 02.01.2019

I am the death of light extinguishing the lanterns one
after the other their flames weakening on the third night
I veil the stars and the agony of the wind rides through
Crowlista of the Poets as the pale rider in Anna Ruairidh's
dream did pounding on the doors leaving Ewen until last
and I returned home where I opened the door and my
eyes in the morning

Eòghan Stiùbhart

Samhain air Machair Rois an Ear

smùid a' gheamhraidh
     air an druim ghiùthsaich
a' taomadh a-nuas on Uamhais
      Sgitheach 's Allt Grànda
         nan steall seachad air
           a' Chreig Dhuibh

agus mo shùilean a' leum
     mar bhradan làinnireach
's iad a' dol eadar
     meirg air na croinn
's meirg air na croinn

     an gàrradh làn de chnothan an eòlais
ach gann de mheasan a' ghràidh

November in Easter Ross

The smoke of winter on the pine ridge surging down from
Wyvis, Skiach and Allt Graad in spate past the Black Rock
and my eyes leap like a glittering salmon they go between
the rust of the trees and the rust of the rigs the gardenyards
are full of the hazelnuts of knowledge but they lack the
fruits of love

Eòghan Stiùbhart

An Solas Mòr

Tha sinne an seo
mi fhèin 's tu fhèin
's an Solas Mòr
's e nas soilleire na
a' Ghrian 's a' Ghealach
an lasair nuadh air teanga an t-sluaigh
nas gile is nas deirge na
na reultan a chì mi
nuair a chluinneas mi do ghuth
nas teotha is nas glaine na
an teine grad nam bhroilleach
mar lòchran an dorais aig
na tobhtaichean a tha fuar
ach a thogas sinn suas
's mun timcheall an cagailtean ùra
an gaol a chuireas sinn ri chèile

dh'fhiosraich sinn còmhla
latha is oidhche
am buille-cridhe 's an t-sradag
eadar caithris na h-oidhche
's dùsgadh na maidne

's chuala sinn an clag
a' seirm o lanntair na sgeire
gach là, gach oidhche
an-dè, an-diugh 's a-màireach

The Big Light

We are here you and me and the Big Light and it is
brighter than the Sun and the Moon the new flame of our
people's language whiter and redder than the stars I see
when I hear your voice hotter and cleaner than the sudden
fire in my breast like the door lanterns of the ruins which
are cold but which we will raise up and around the new
hearths the love that we will light together

We learned together day and night the heartbeat and
the spark between the nightwatch and wakening in the
morning

And we heard the bell singing from the skerry lantern
every day every night yesterday today and tomorrow

Eòghan Stiùbhart

's bha thu ag innse dhomh
sgeulachdan
's bha thu ag innse dhomh
fìrinn
's bha thu ag innse dhomh
saoghal is ainm gach craobh
agus dh'inns thu dhomh gun coisicheadh tu
cuide rium fo sgàil
gach darach agus giùthas
a dh'èiricheadh eadarainn is an Solas Mòr
agus chruinnicheamaid na geugan
on làr is thilleadh sinn iad
dhachaigh
gu tac ar teine
nuair nach biodh an Solas Mòr
ach na chuimhne

agus bhiomaid a' lasadh gun losgadh

a' coiseachd casruisgte
air an tràigh
agus ar ceòl a' ruidhleadh bhuainn mar an tìde-mhara
agus ar gaol a' siabadh air gach stuagh
ged a thigeadh iad às ar dèidh airson am feamainn a bhuain
gus na h-achaidhean a thorrachadh
agus na cogaidhean a shabaid

And you told me stories and you told me the truth and you
told me about the world's life and the name of every tree
and you told me that you would walk with me under the
shadow of every oak and pine that would rise between us
and the Big Light and we would collect the branches from
the floor and we would return them home to our fireside
when the Big Light would be nothing but a memory

And we would burn without being consumed

Walking barefoot on the beach
And our music would reel from us like the tide and our
love would drift on every wave and although they came
after us to harvest the seaweed to fertilize the fields and to
fight the wars

Eòghan Stiùbhart

is sinn' an connadh is an comanachadh
is sinn' an t-eilean is an linne
is sinn' a' chreag is an iolaire
is sinn' na h-uisgeachan buan
is sinn' na sligean mar ghloinne
's òr-gheal gaineamh na tràghad

'Eil cuimhne agad 's sinn òg
an saoghal ga chur an cèill ann am boghaichean-frois is òr?
ach a-nis tha sinn mòr
's an cruinne ga pheantadh le dathan-fala

Is cleasmhor cuimhne
a' cluich le dearmad mar dhèideag
gach gnìomh siùbhlach
mar chainnt àlainn a' bheòil bhlàith
's gach creideamh marbh
gun ghnìomh gun thoil
Chan e fàsach a tha seo.
'S e tìr bhriste a th' innte.
Tha i a' fuireach orrasan tilleadh dhachaigh
Tha i a' tathaich air an starsaich
aig an tobht sa ghleann
far nach robh duin' againn òg

Chì mi 'n tìr a tha lìonmhor
Chì mi 'n tìr a tha beàrtach
Chì mi 'n tìr a tha làidir
Chì mi 'n tìr a tha beò

BEUM-SGÈITHE

We are the fuel and the communion, we are the island
and the sound, we are the rock and the eagle, we are
the eternal waters, we are the shells like glass and the
goldwhite sands of the beach

Do you remember when we were young the world
expressed itself in rainbows and gold? but now we are
grown the world is painted in colours of blood

memory is a trickster, it plays with forgetfulness like a toy,
every action moving like the beautiful speech of the warm
mouth and every faith is dead without works without will
This is not a wilderness. It is a broken land, it awaits them
coming home. It is dwelling on the threshold at the ruin
in the glen where none of us were young

I see the land that is plentiful I see the land that is rich I
see the land that is strong I see the land that is alive I see
the land that is deserted I see the land that is cursed with
blessings full of virtues which pull in the licentious who
send their lackeys to acquire them

Eòghan Stiùbhart

Chì mi 'n tìr a tha fàs
Chì mi 'n tìr a tha mallaichte le beannachdan
làn bheusan a bhios a' tarraing nam mì-bheusach
's iad a' cur an traillean air an tòir

Tìr na Gaoithe
Tìr an Uisge
Tìr an Teine
Tìr na Tìre

Tìr nan Daoine

Cuireamaid sìol ùr a' ghaoil
le sliochd o gach tìr
agus fàsaidh craobh nam mìle teud ùra,
's sreapaidh a ceòl mar mheasan òra.

Cha sheinn sinn cumha tuilleadh
seinnidh sinn gàire na cloinne
Gabhamaid òran ùr, fonn ùr, gleus ùr
le gàire na h-òigridh
le gàire nan daoine
agus thig solas na maidne mar *chòda*
far am bris sinn an trasg
far am frithealaich sinn bòrd ar cuideachd
le saoibhreas is stòr
mus till sinn dhar dachaigh fhèin
a' coiseachd ri chèile
air talamh ùr an t-Solais Mhòir

The Land of Wind The Land of Water The Land of Fire The
Land of Land

The Land of The People

Let us plant the new seed of love with a branch from every
nation and the harptree of a thousand strings will grow and
her music will rise as golden fruits.

We will no longer sing a lament we will sing the laughter of
the children We will sing a new song a new tune a new key
with the laughter of the youth the laughter of the people and
the morning light will come as a coda where we will break
the fast where we will service the table of our company with
generosity and plenty until we return to our own homes
walking together on the new earth of the Big Light

Eòghan Stiùbhart

's bruidhnidh tu rium
's freagraidh mi riut

air monadh fosgailte nam buadh
ri cuan a' ghràidh bhuain
fo sgàil beinn an t-sluaigh
anns an t-Solas Mhòr

Bidh sinne ann
an Solas Mòr 's mi fhèin 's tu fhèin
mi fhèin 's tu fhèin
mi fhèin 's tu fhèin

mi fhèin 's tu fhèin

mi fhèin 's tu fhèin
mi fhèin 's tu fhèin

mi fhèin 's tu fhèin

mi fhèin

agus

an Solas Mòr

And you will speak to me and I will answer you

On the open moorland of virtue
By the ocean of everlasting love
Under the shadow of the people's mountain
In the Big Light

We will be there
The Big Light Me and You Me and You
Me and You
Me and You
Me and You
Me and You
Me and You
Me and You
Me
and
the Big Light

Eòghan Stiùbhart

Sgrìobhaidh mi air sgàth 's gun deach gach ball 's gach smior a sgrios

Sgrìobhaidh mi air sgàth a' chridhe a bha uair ann

air sgàth ceann a dh'fhàs sean

Sgrìobhaidh mi air sgàth na cainnt a shìolas bhuam cho luath 's a dh'ionnsaicheas mi i

Sgrìobhaidh mi air do sgàth-sa

air sgàth neart

air sgàth laigse

air sgàth na fala

air sgàth a' ghràis

air sgàth a' ghràidh

air mo sgàth-sa fhèin

Sgrìobhaidh mi nam aigne san dorchadas

far nach eil peann

far nach eil pàipear
no meur-chlàr

a' dèanamh

brag

brag

brag

agus chan eil an fhàire ach na cuimhne

agus chan eil solas a dhìth oir tha mo chridhe làn

140

Èirich

Eòghan Stiùbhart

Caoineag Bheag a' Bhròin*

Cluinn a' chaoineag air a' ghaoith a-nochd san aonach àird
anns na coireachain aognaidh far nach fhaigh i tàmh
le fios gun tig, a dheòin no a dh'aindeòin, am bàs
a dh'fhàgas leannan gun ghràdh, màthair gun àl
      Cò tha siud? Cò tha siud? Cò ach caoineag bheag a' bhròin?

'S ise thar nan linntean a' sanasachd na fala a thaom
nuair a thuit na laoich 's na cùisean-thruaigh san raon
's iad mar an ceudna a' faireachdainn faobhar an aoig
bha caoineag ann romhpa a' caoidh crìoch an saoghail
      Cò tha siud? Cò tha siud? Cò ach caoineag bheag a' bhròin?

An oidhche a bha sin, air slèibhtean corrach beinn a' cheò
bha i a' gul 's a' glaodhadh 's a' dòirteadh deòir
às leth cor Clann Dòmhnaill nach tuigeadh brìgh a sgeòil
cho bodhar 's cho marbh ri Clach Eanruig a-measg an fheòir
      Cò tha siud? Cò tha siud? Cò ach caoineag bheag a' bhròin?

Agus sna h-àrd-achaidhean ann an Eilean a' Cheò
chuala na daoine gaoir a chuir gaoir nam feòil
's thàinig an taibhsearachd o chùbaid MhicLeòid
gun tuiteadh na seòid am blàr a' chatha fa dheòigh
      Cò tha siud? Cò tha siud? Cò ach caoineag bheag a' bhròin?

Nan laighe san achadh chèin thall, 's iad leòinte
an do chuir iad a' cheist len anail dheireannaich bheò?
An cuala iad i nan cluasan 's iad a' toirt suas an deò
no an robh an fhreagairt ga smaladh le fuaim 's ceò?
      Cò tha siud? Cò tha siud? Cò ach caoineag bheag a' bhròin?

Little Caoineag of Sorrow*

*Who is there? Who is there? Who else but Little Caoineag
of Sorrow*

Hear the Caoineag on the lonely mountain tonight in the
desolate corrie where she finds no rest knowing that death
will come despite it all and leave a lover without love a mother
without her child

And down through the ages she telegraphed the blood that
would surge when and where the heroes and the zeroes
likewise would
fall to death's blade on the field having gone before them to
lament their world's end

That night on the rocky slopes of the misty mountain she
wept and wailed and poured out her tears for the sake of
Clan Donald who did understand her tale as they lay as dead
and as deaf as Clach Eunraig in the grass

And in the highfields of the Isle of Skye the peple heard the
wail that sent a shiver through their flesh and from MacLeod's
pulpit they were foretold that the heroes would fall in the
battle one day

Lying there on that foreign field wounded did they ask that
question with their dying breath? Did their ears hear her as
they gave up the ghost or was the answer snuffed out by the
noise and the smoke?

143

Eòghan Stiùbhart

*'S e bha anns a' Chaoineag (no a' Chaoineachag) ach tè de na h-aonaragan, sìthiche a bhiodh ri cluinntinn ann an àiteachan far an tigeadh bàs sa gheàrr-ùine, ach eu-coltach ris a' Bhan-sìth, cha robh i ceangailte ri aon teaghlach a-mhàin. Cuideachd, chan fhaicte riamh i, agus cha chanadh i ach mar fhreagairt dhan cheist "Cò tha siud?" ach "Cò ach Caoineag Bheag a' Bhròin." Chluinneadh i sna seachdainean roimhe air a' bhlàr far am biodh an cath ga chur. Chluinneadh i mu dheireadh san Eilean Sgitheanach ann an sgìre Phort Rìgh sna bliadhnaichean ron Chogadh Mhòr. Thuig ministear san sgìre, an t-Urramach MacLeòid gun robh tamailt mhòr dol a thighinn, agus chaidh seo a dhearbhadh ann an ùine nach robh fada, ged a bha e fhèin fon ùir an uair sin. Tha an treas rann a' togail ìomhaigheachd on rann mun Chaoineachag sa Charmina Ghadelica a' bruidhinn air murt Ghleann Comhann.

*The Caoineag (or Caoineachag) was one of the solitaries, a fairy who would be heard in places where death would soon be visiting, but unlike the Banshee, she was not connected to a particular family. Also she would never be seen, and would say nothing in answer to the question Cò tha siud? – Who is that? – than, Cò ach Caoineag Bheag a' Bhròin? – Who but Little Caoineag of Sorrow? She would be heard over the battlefields in the weeks leading up to where a conflict would be held. She was last heard in the Isle of Skye in the vicinity of Portree in the years before the Great War. The minister of the parish, the Reverend MacLeod, understood that a great calamity was in store, and war was confirmed not long after, although he himself was also in the ground by then. The third verse takes information from the verse about the Caoineachag in the Carmina Gadelica which discusses the Glencoe Massacre.

Eòghan Stiùbhart

Peallag*

Shìos ris an abhainn
chunnaic mi an-dè i
Peallag bhochd
le leadan salach
coltas a' phris air
ceann gun chìreadh
's i gun mhothachadh
air steall an earraich
a' ruith seachad oirre
's i a' brunndail rithe fèin

Nan robh an sruth na sgàthan
cha dèanadh i càil dheth
's coma leatha an saoghal
's coma leis an t-saoghal i
aonragan truagh
am meadhan a' bhaile
na daoine sìthe
cuide rinn fhathast
ach 's sinne nach eil
airson am faicinn

*Bha Peallag na h-aonragan, ban-sìth a bhiodh a' fuireach leatha
fhèin fad air falbh o dhaoine. Bha i aithnichte airson coltas
robach, tana agus falt salach, troimh-chèile. Ged a bhiodh i ri
lorg ri taobh lochan glè thric, bhathar ag ràdh nach biodh i uair
sam bith a' coimhead air a faileas-aodainn san uisge.

Peallag*

Down by the river I saw her yesterday poor wee Peallag
with her dirty tresses looking like she'd been dragged
through a bush uncombed hair not noticing the spring
spate as it rushed past whilst she mumbled to herself

If the stream were a mirror it wouldn't matter to her she
don't care for the World or the World for her a pitiful
solitary in the middle of town, the quiet folk are with
us still but it's just we don't want to see them

*Peallag was a solitary, a female fairy who would stay by
herself away from people. She was known for her scruffy, thin
appearance and her messy, dirty hair. Although she would often
be found beside lochs, it was said that she never once looked at
her own reflection in the water.

147

Eòghan Stiùbhart

Cèilidhean Mòra

Linn Shlèite moch madainn Chèitein
a' Ghrian ùr aig deireadh bliadhna
iomadh earrach a chunna mi an sealladh
's mi ag èirigh às dèidh na cèilidh
samhail na h-oidhche roimhe nam cheann
na beanntan air fàire 's an impis falbh
a' siubhal na tìde ann an sìth na maidne
gach leòn slàn 's a' seòladh dhachaigh
gu fasgadh a thogadh aig an t-sabhal
a' chiad gheamhradh sin an glac an teangaidh
a chuir mi eòlas air blàths do bheòil
's gach sian a thàinig leats' on iar
ceò a dh'fhalaich Cnòideart, solas a las Mùideart
a h-uile là na ràith fa leth a' sìor-atharrachadh
o chràdh na ghaillean gu gràdh mar fhalaisg
agus dealachadh ceangailte balbh na bhun
mus tug mi dhut an litir a bha nam dhòrn
làn fhaclan o choille fhad às a dh'fhuasgail
na deòir a thuit mar uisge sa cheann an ear
's a thug blàthan samhraidh ar càirdeis beò

Cèilidh Mhòrs

The sound of Sleat an early May morning the new
Sun at the end of a year many springs I saw this view
as I rose after the ceilidh the ghosts of last night in my
head the mountains on the horizon and the need to
leave time travelling in the peace of the morning every
wound whole and sailing home to a shelter I built at the
barn that first winter in the language's grasp that I got
to know the warmth of your mouth and every element
that blew in with you from the west the mist that veiled
Knoydart the light that set Moidart ablaze every single
day its own season in constant change from agony as
driving rain to love as burning heather and the strange
connected unspeaking separation until I gave you the
letter that I held in my hand full of words from a far
away wood that released tears that fell as water in the
east and brought the flowers of our friendship to life

149

Eòghan Stiùbhart

Àm-stòiridh

Nuair a thig an sgeul gu crìch
na lidean deireannach a' teicheadh om bheul
mar sheinn nan eun aig laighe na grèine
's e mo rùn gun dèan thu cadal sèimh seunt'
làn sholas leugach 's bruadaran mòra
a dh'fhàsas mar chraobhan le freumhan treun
's iad pailt le meuran 's duilleach a' sprèidheadh
's geugan a' sìneadh chun nan reultan
nan ceudan a' nochdadh às d' inntinn
a tha mar iarmailt gun smeuradh
's nì thu ceum tron chruinne-cè ud
a' buain mheasan gan cur sna speuran
le sìol on sgeul mhòr bhuan nach tig gu crìch

Storytime

When the story comes to an end the final syllables
escaping from my mouth like birdsong at sunset I wish
that you sleep an enchanted pacific sleep full of jewelled
light and big dreams that grow like strong rooted trees
endowed with limbs and foliage that explodes and
branches that reach to the stars in their hundreds which
appear from your mind like a sky without blemish and
that you walk through that universe harvesting the fruit
you plant in the heavens with seed from the great tale of
forever which will never end

Eòghan Stiùbhart

Cànan Ùr a' Ghràidh

a-raoir bha na reultan fuar
aonranach 's fada bhuainn
chuimhnich mi air oidhch' eile
oidhche mhath air ais san eilean
ceòl na h-òige 's a' chiad uair
a chuala mi na faclan bhuat
ann an cànan ùr a' ghràidh

> *cànan ùr a' ghràidh*
> *cànan ùr a' ghràidh*
> *bhruidhinn sinn ri chèile*
> *ann an cànan ùr a' ghràidh*

an-diugh bha a' ghrian an-àird
ach bha sgaradh anns gach àite
sa bhaile bha na sràidean falamh
an saoghal a' tilleadh dhan talamh
o gach uinneag dathan a' bhogha-frois
cridhean gan togail 's cinn aig fois
le cànan ùr a' ghràidh

> *cànan ùr a' ghràidh*
> *cànan ùr a' ghràidh*
> *tha sinn a' bruidhinn ri chèile*
> *ann an cànan ùr a' ghràidh*

Cànan Ùr a' Ghràidh

the new language of love,
last night the stars were cold lonely and far from me I
remembered another night a good night back in the
island the music of youth and the first time I heard you
speak in the new language of love

we spoke together in the new language of love

today the sun was high but everywhere was separation
in the city the streets empty the world returning to earth
but from each window the colours of the rainbow hearts
raised heads at peace

we are speaking together in the new language of love

Eòghan Stiùbhart

A-nochd tha do chuimhne pailt
's m' inntinn a' dol air ais dhan àite
far mu dheireadh sheas thu rim thaobh
ag innse mun fhìrinn 's mu shaorsa
's rud nas prìseile na beanntan òir
ò cuin a chì mi thu a charaid chòir?

nuair a thig a' mhadainn
nuair a dh'èireas grian
nuair a dh'fhosglas sùil
nuair a phògas beul
nuair a bhios sinn ri chèile
nuair a nì sinn gàire
nuair a ruigeas sinn an t-àite
nuair a thogas sinn an t-slàinte
ann an cànan ùr a' ghràidh

> *cànan ùr a' ghràidh*
> *cànan ùr a' ghràidh*
> *bruidhnidh sinn ri chèile*
> *ann an cànan ùr a' ghràidh*

tonight your memory is abundant and my mind goes back to the place where you last stood by my side telling me of the truth and freedom and a thing more precious than mountains of gold ò when will I see you again my sweetest friend

When the morning comes when the sun rises when eyes open when lips kiss when we are together when we laugh when we reach the place when we raise the toast in the new language of love

we will speak together in the new language of love

Eòghan Stiùbhart

Òran na Maidne

Dhanns sinn còmhla air an làr
Dh'aithnich sinn facail gach òrain
Chunna sinn an t-òr air na h-àirdibh
ann am beul an là.

> *Ò a luaidh, chan e seo ach òran na maidne*
> *Ò a luaidh, a' dùsgadh ri saoghal fuar*

Rinn sinn suain anns a' ghrèin
Ghèill mi fhèin dha do bhuadhan
Dhìon thu mi on fhuachd chèin
a gheàrr o na slèibhtean

> *Ò a luaidh, chan e seo ach òran na maidne*
> *Ò a luaidh, a' dùsgadh ri saoghal fuar*

Tha a' Ghrian ag èirigh gu h-àrd
Tha mise a' fàgail 's tusa a' teicheadh
Chan fhaic sinn feasgar a' ghràidh
no ciaradh an là

> *Ò a luaidh, chan e seo ach òran na maidne*
> *Ò a luaidh, a' dùsgadh ri saoghal fuar*

The Morning's Song

My dear this is nothing but the morning's song my dear
waking to a cold world

We danced together on the floor and knew the words to
every song we saw the gold upon the heights at dawn
We snoozed in the sun and I surrendered to your graces
you protected me from the bitter cold that cut down from
the mountains
The sun is rising high I'm leaving you are escaping we
won't see the evening of love or the dimming of the day

Eòghan Stiùbhart

An Cruth-atharrachadh

Thill mi a-raoir dhan dearbh àite
cha robh sgeul air sgòth no sgàil
sa chiaradh air a' bheinn àird
no an cruth-atharrachadh a thàinig
an latha sin sa choille chraobhaich
nuair a bha an aona-ghaoth a' taomadh
a' toirt oirre an dealbh-chaochlaidh
's i a' cur a' chuain uimpe mar aodach
shèid na geugan nan suailean
gach meur mar bhàrr-thonn a' bualadh
salm na mara on ataireachd uaine
biorach binn buan na mo chluasan
's mi a' siubhal slighe chumhang chaol
tro ghiùthsach làn danns' an t-saoghail
ach a-raoir air a' bheinn naoimh
bha cruth eile air clàr a h-aodainn
a' choille a-rithist na coille cheart
na beithean ciùin a' deàlradh ro gheal
's mi gabhail tlachd am fèath an fheasgair
mus do dh'èirich mi mar Pheadar gun eagal
a' mhuir ga cur dhan dara taobh
air sgàth 's gum faca mi an saoghal eile
dearbhte mar a bhiodh e a-chaoidh
le gràdh beò dearg na craoibhe

~ *Am Màrt 2020*

The Transfiguration

I returned last night to the very same place there was no
sign of cloud or shadow in the dusk on the high mountain
or the transfiguration that came that day in the forest when
the one wind poured in transfiguring it, dressing it in the
clothes of the ocean, the branches blew like swells, every
limb a wave-crest crashing, the psalm of the seas from the
green surge sharp and sweet and lasting in my ears and I
walked the narrow way through a pineforest filled with
the dance of life but tonight on the holy mountain its
countenance was different the forest was again just that a
forest the calm birches radiating white and I took pleasure
in the evening tranquility before I arose unafraid like Peter
setting the sea to one side because I had seen the other
world secured as it always will be by the red living love
of the tree.

Eòghan Stiùbhart

A' coimhead ri Beinn Uamhais o Chùil Lodair, 25 an t-Ògmhios 2020

a' siubhal feasgar air blàr na fala
chunnaic mi an-àird air fàire
gileachd a' gheamhraidh fhathast
na bileag bhàn air Coire na Feòla

Looking at Ben Wyvis from Culloden, 25 June 2020

walking one evening on the plain of blood I saw high on
the horizon the white of winter still a white cockade on
Coire na Feòla

Dante air an C1144 agus U1207

a' cur mo chùl air gach dòchas
's ga fhàgail a' grodadh san luachair
's ann tro fhearann donn 's odhar
fo bhrùid am foghar buan a ghluais mi

seachad air a liuthad gheataichean iarainn
chaidh mi gu siar, gu siar, gu ceann na h-ifrinne
ach gun bhàrd nam iùil tron talamh iargailt seo
a chainnt ga smaladh le rhodendrons sna dìgean

mar chnap de chabair as dèidh na seilge
càrn de gheugan ghlainne dealain
's ri taobh na slighe a' fèitheamh breitheanas
na deamhannan maola a' dearcadh orm

suas, suas na cuibhlichean a' dìreadh
gu balla a' chuaich làn ùisge marbh
na carbadan le sùilean òra a' prìobadh
ceud fear sna bacan fàs a' cladhach

meur fuadan a' chuaich, àite na caim bàine
chaidh mi tarsainn air an drochaid airgid
far an robh eilean na cloinne ga bhàthadh
's tom allt nighean eòbhain ga chur fodha

Dante on the C1144 and U1207
(Signor Alighieri's Campervan Trip to Kinloch Hourn)

abandoning all hope and leaving it rotting in the rushes
through a land brown sallow and trapped in an eternal
autumn I moved

past so many iron gates I went west west to the head of hell
but with no poet as my guide through a strife filled land its
language smothered by rhodedendrons in ditches

a cairn of pylon insulators like a heap of antlers after the
hunt beside the road awaiting judgement hornless demons
observing me

up up wheels climbing to the wall of the quaich full of dead
water the carriages with their golden eyes blinking a hundred
men in the desert walls digging

the false handle of the quaich once the place of the white
bend / CAM BÀN I went over the silver bridge where the
isle of the children / EILEAN NA CLOINNE was drowned
and the hillock of ewen's daughter's burn / TOM ALLT
NIGHEAN EÒBHAIN was sunk

Eòghan Stiùbhart

an tig sian beò fo eas choire nan cnàmh?
far nach eil ach dìle is earchall?
far nach dèanar faire ach àlan
aig bun allt sgùrr a' chlaidheimh?

nuair a làigh mo shùil air an iuthairn
chunnaic mi taighean, laimrig is staran
's mi bàthte, baiste, fo innis na creige gun liut
aig coire shùbh air leac san abhainn

an t-allt sruthach, siùbhlach, sùbhach, bàn
an caochan coirbte, ciar, caorach tron bheàrn
an steall beucach, nuallach, dearcach, àrd
's an rathad na aradh cam, gu loch beag a' teàrnadh

ceann loch shùbhairne fada dubh dòmhainn
an aile mar thonn-mara, na ceapan sleamhainn
air slighe a' chladaich gu sgiath àirigh
's mi a' siubhal fàsach fliuch nan gailleann

's tro na sgàilean uisge o neàmh ag iomain
bha mo rùn 's mo thoil a' tionndadh mar chuibhle
aig an aon astar leis a' ghràdh a thionndas
a' ghrian 's na reultan 's mo chridhe 's mo chuimhne

can anything live below the falls of the corrie of bones / EAS
CHOIRE NAN CNÀMH where there is nothing but deluge
and calamity where nothing keeps the watch except rocks at
the base of the the stream of the sword ridge / ALLT SGÙRR
A' CHLAIDHEIMH

as my eye lay upon the hell I saw houses, harbour and path,
and I was drowned, baptised below the meadow-isle of the
rock / INNIS NA CREIGE without any poetic knack upon a
slab in the river at the berry corrie / COIRE SHÙBH

the fair flowing flying fruity burn the hidden twisted dark
berry stream through the gap the high bellowing roaring juicy
torrent and
the road
        like a twisted
ladder
        descending
                to
LOCH BEAG

kinloch hourn / CEANN LOCH SHÙBHAIRNE long
dark and deep the air one big ocean wave the paving stones
slippery upon the shorepath to the wing-shield of the shieling/
SGIATH ÀIRIGH as I walk the wet wilderness of tempests

and through the shades of rain driving from heaven my will
and desire turning like a wheel uniformly with the love that
moves the sun and the stars and my heart and memory

165

Eòghan Stiùbhart

còmhnaich dlùth rium

còmhnaich dlùth rium

's tu an gaol a bha ann aig tùs mo shaoghail
's tu an ròs fo bhlàth 's tu an t-ubhal air a' chraoibh
's tu a' chreag as àirde aig mullach beinn an t-sluaigh
's tu a' ghaoth a shèideas le buaidh on cheann a tuath

's tu mo ghrian-maidne, 's tu mo reul san àird an iar
's tu mo ghealach làn, mo sholas 's mo mhiann
's tu mo rùn, mo luaidh, mo mhùirn 's mo shunnd
's tu mo leòn, mo leigheas, mo bhàrr 's mo ghrunnd

's tu an talamh aosmhor 's mi cas-ruisgte air do raon
's tu an tìr nuadh a gheallas dhomhsa saors'
's tu am blàths aig baile gam thaladh air ais a-nall
's tu na binnein gheala air na slèibhtean ud fada thall

's tu cho èasgaidh, cho deònach, cho còir 's cho gasta
's tu cho dìcheallach cho daingeann a dh'aindeoin gach astar
's tu an gràdh grad dearg 's tu an gràdh buan bàn
's tu an crònan ciùin 's an ataireachd àrd

's tu an t-aodann a chì mi nam dhùsgadh tràth
's tu an t-aodann a chì mi anmoch aig deireadh là
's tu an fhìrinn ghlan a labhras o do bheul blàth
's tu na làmhan gam ghlèidheadh o chàs agus cràdh

's tu gam dhìth

stay close to me

stay close to me

you are the love that was at my beginning
you are the rose in bloom and the apple on the tree
you are the highest rock at the top of the people's mountain
you are the north wind blowing triumphantly
you are my morning sun and my star in the west
you are my full moon my light my desire
you are my love my love my love and my joy
you are my wound my cure my summit and sea floor
you are the ancient earth and I walk barefoot upon your field
you are the new land that promises me freedom
you are the warmth of home calling me back
you are the white peaks upon those far mountains
you are so willing so keen so kind and so splendid
you are so diligent so steadfast despite all distance
you are the swift red love and the enduring white love
you are the gentle lullaby and the ceaseless ocean roar
you are the face I see upon waking early
you are the face I see at the end of my day
you are the perfect truth spoken from your warm mouth
you are the hands that keep me from hardship and pain

and I need you

Eòghan Stiùbhart

QASIDA قصيدة –
Oidhche 's Eich 's am Fàsach
atlal

fanaibh an-seo fhearaibh oir 's truagh an sealladh
leigibh leam fantail son greis a-measg

tobhtaichean fuara an t-seann bheatha
's cuimhnichibh tamall air an fheadhainn

a bha uair a' còmhnaidh air an fhearann
iadsan a bha làn dìbhearsain 's dealais

a shreap le deòin gu h-àrd sna beanntan
a shir na caoraich chaillte sa bhealach

na gillean treun anns na làithean geala
ag obair san raon mus tàinig an spealadh

's nach do thill ach mar ainm an teachdaireachd
's na mnathan uasal mus do shruth mar steall

o shùilean deòirean a' bhròin 's na searbhachd
na bùird is na leapannan gun deasachadh

oir cha robh na fir tuilleadh ach nan dealbhan
's teisteanasan odhar às leth rìgh Bhreatainn

agus cha robh mòran cofhurtachd san t-searmon
dha na banntraichean dubha sna h-eaglaisean

's dha na caileagan seang a' faicinn nam fleasgach
a' falbh a Ghlaschu no balbh le lotan an dearbhaidh

dh'fhiosraich am baile seo bàrcadh na h-eachdraidh
a chatha! 's tu màthair an duslaich, 's athair an eabair

QASIDA

atlal

stay here a moment lads for this is a pitiful sight let me
linger a moment amongst the cold ruins of the old life
and remember a moment those who once lived on
this land those who were full of zeal and diversion that
climbed boldly high in the mountains to seek the lost
sheep in the passes the strong lads in the innocent days
working on the field before the great harvest came and
they did not return except as a name in a telegram and
the honourable women before their eyes streamed
with the tears of sorrow and bitterness and table and
beds went unattended because the men were no longer
anything but pictures and brown certificates from the
British king and the sermons did not provide much
comfort for the black widows in the churches or the
supple young women seeing the fine young men away to
Glasgow or struck dumb by the wounds of the great test
this town knew full well the surging of history, o war you
are the mother of dust and the father of mire

Eòghan Stiùbhart

rihla

ach togam rann air an t-sealladh a tha gar beannachadh
's tha a' ghuilbeanach sa phàirc gam fhreagairt

's an gille-brìghde mun tràigh a' feadalaich
's os ar cionn glig glig na h-iolaire ri sealg

's geur-amharcach a sùilean a' leum air feadh
an t-slèibh a' sìreadh teachd a' chreachaidh

's thall aig an t-seann chrò mun cheathramh
dà chlamhan a' cuibhleadh 's am bàs dearg

nan spuirean deiseil mar dhealgan
air tòir geàrr a' mhonaidh ach e ro ealamh

tha e an dàn gum faigh a' mhaigheach ud am bàs geal
le a còta fionn 's a stamag fhalamh sa gheamhradh

mura faighear i leis an eun-creachaidh eile, an geamair
anns na raointean loisgte, 's iad nis fireach nan cearc

's ann an taobh sin a thàinig sinn an ceartuair
ghluais sinn mar chuairtearan nan gleann

ghabh sinn an rathad tar Mhic Adhaimh on ear
mus tàinig e gu ceann aig bun an leacainn

rihla

but let me raise a verse for this view which blesses us the
curlew answering me from the park and the oystercatcher
whistling down on the beach and high above the kwit
kwit of the eagle hunting sharp eyes leaping throughout
the slope for the advent of destruction and over by
the old quarterland two buzzards circling and the red
death in their talons ready like skewers in search of the
mountain hare but he's too agile for them it is the destiny
of that hare to receive the white death in his white coat
with his stomach empty in the winter unless that other
bird of prey, the gamekeeper gets him in the burned
land, the highground of the grouse we came that way
just now we moved as the sojourners of the glen taking
the tarmacadam road from the east until we reached the
bottom of the slope

Eòghan Stiùbhart

rinn sinn astar thar mòinteach le ar n-eallaichean
air druim agus fo ar casan ar n-eachdraidh

ge b' fhada an t-slighe 's ann le meanmna
a shiubhail sinn gu siùbhlach thar gach leathad

agus 's ann air an àirde tha an solas mòr a' teannadh
oiteag chàilear a' bacadh chuileagan meanbh

an urrainn dhuinn beannachd a thoirt seachad
dhan àite seo mar chuimhne 's sealladh?

and then made pace across the moor with our burdens on our back and under our feet our own histories although the path was long we moved with vigour swiftly across every incline and the big light is nearing the apex there is a pleasant breeze keeping down the midges can we give a blessing to this place as both a memory and a view?

Eòghan Stiùbhart

nasib

togam mo shùilean chun nam beann
a bha air iomall mo lèirsinn gach earrach

mar mo ghaol cearbach, mo reul an fheasgair
's i mar Bhèineas a' dèalradh san iar-dheas

's mi fhathast a' toirt taing dhan Fhreastal
airson mo ghaoil ghlain chaillte eagaich

o chian nan cian thàinig mi an seo leathase
latha buidhe 's b' ise mo dhlùth leannan

san iarmailt oidhche b' ise mo ghealach
air mo gheugan lom b' ise blàth an earraich

ri linn mo thairt b' ise an grad-steall
's air madainn cheòthach ud sna feanntagan

b' ise ròs dearg mo bheatha, lilidh nan gleann
agus na suidhe air na ballaichean leagte

b' ise a' ghrian a' sgoltadh nan creagan
ged a bha an latha ud glas is leathann

bha dathan a gaoil-se ga dhealbhadh
thar gach ealain o làimh neach

's mi nam allt làn aoibhneas an easain
a' tùirling a-nuas o na h-àrd-leacaibh

ach ruigidh gach abhainn cuan gun teagamh
's thig gach gaol gu gràdh no deatach

ach a chàirdean, biodh oirbh deagh ghean
's ann o chridhean briste a bheir sinn ar neart

174

nasib

I will raise my eyes to the hills that are on the edge of my
vision every spring like my clumsy love my evening star she
is like Venus shining in the south west and I still give thanks
to Providence for my perfectly jagged lost love a long time
ago I came here with her it was a golden day and she was
my inseparable lover in the night sky she was my Moon
on my bare branches she was the bloom of spring in times
of drought she was the flashing spate and on that misty
morning amongst the nettles she was the red rose of my life,
the lily of the valley and sitting on the fallen walls she was the
Sun splitting the rocks even though that day was grey and
broad the colours of her love painted it over and above any
art made by human hand and I was a burn full of the joy of
the waterful plummeting from the high precipice but every
river reaches the ocean no doubt and every love becomes
either deeper love or vapour but friends be of good cheer for
from broken hearts we draw our strength

Eòghan Stiùbhart

madih

èireamaid dhan sgùrr sin mar ghobhair chreagach
seach nar màganan mosach truagh leamha

an sgùrr as àirde as bòidhche sealladh
an sgùrr gun choimeas a-measg nam beann

agus gabhaidh sinn ealla ri tir nan cealgaire
far a bheil sinn uile nar cinnidhean gun cheann

chaidh ar fuil a reic 's a cheannach
le sgèinean cèin ar teanga a ghearradh

cha dèanar duan-molaidh no cumha leamsa
ach dhaibhsan a chuir 's a bhuain, na ceatharnaich

iadsan a bha treun a dh'aindeoin gach mealladh
o na h-uachdaran suarach, 's na balgairean searbh

's an còraichean 's an cainnt fhathast gan seasamh
agus mar a tha sinne an-diugh san teas

chunnaic iad air nèamh sgleò a' teachd
na sgòthan strì a' taomadh a-steach

falamhachadh, fàsachadh 's peacadh
smùid de gach seòrsa mar dheamhan

smùid nan long a' falbh a Cheap Bhreatainn
smùid nan cogaidhean sa Ghearmailt

madih

let us rise to that ridge like mountain goats instead of
pitiful and grumpy frogs the highest ridge of the finest
views the ridge that stands incomparable amongst all
others and we shall look over the land of the hypocrites
where we are all clans without chiefs where our blood
was bought and sold where our tongue was cut by foreign
knives I will not make an ode or a lament except for those
who planted and harvested, the humble peasant heroes
those who were strong despite every deception from
the despicable landlords and the sour thieves and who
stand yet for their rights and their speech and who like us
just now saw a shade coming upon heaven the clouds of
struggle pouring in, clearance, destruction and sin, smoke
full of all sorts of demons the smoke of the boats away to
Cape Breton the smoke of the wars in Germany

Eòghan Stiùbhart

smùid nan teintean air feadh nan gleann
smùid na dìghe a' gadradh nam fear

smùid mar mhanadh mu bhinnein nam beann
ach 's mi am fògarrach 's am fìor bheairteas leams'

an saorsa ud a thig le fuadach is Freastal;
chan eil nì sam bith nuadh fon ghrèin gu dearbh

's ann o dualchas nan Arabach a ghoid mi an cleas seo
qasida: tìde a dh'fhalbh, turas 's teachdaireachd

*"tha tùralachd do-fhaotainn is ceart
cho do-mhiannach"* ars an seanchaidh

's nì mi aideachadh a-nis gur coma leamsa
an t-àite, an turas, an gaol, 's gu dearbh

's fuath leam am moladh 's a' mheadarachd
a shaoil mi gum bu chòir dhomh a leantail;

seall air an dà chlamhan a-nis thall air an leathad
's iad a' cuibhleadh mar a rinn sinn aon earrach

gaol nar spuirean 's e air a chreachadh
's sinn ga roinn le sannt eadarainn

tha an iarmailt dubh, an t-adhar na theallach
òrd a' ghobhainn deiseil airson deàrrsach dealain

mar dhuanaire nan seann dàn Arabach san dealachadh
thig mo dhàn gu crìch le tàirneanaich na mheallan.

the smoke of the fires throughout the glens the smoke of
the drink that hobbles the men the smoke as apparitions
on the mountain peaks but I am the exile with the true
wealth that freedom brought about by Providence and
clearance nothing is new under the sun, I stole this
trick from the Arabic tradition the qasida – a poem
about times past, a journey and a message "originality is
unobtainable and just as undesirable" said the storyteller
and I've got to admit I don't care for the place, the
journey, the love and certainly I have contempt for the
praise and the meter that I felt I should follow look over
there the two buzzards are now on the slope wheeling
like we did one spring love in our talons plundered and
we greedily dividing it amongst us the sky is black the
air is a forge the smith's hammer ready for the spark of
lightning like an old Arab poet in closing I bring my
poem to an end with a thunderstorm.

Eòghan Stiùbhart

Anns an dòigh sgrìobhaidh Qasida a tha ann an seann bhàrdachd Arabach, bha trì no ceithir earrannan cudromach ann – *atlal*, far am bi am bàrd a' bruidhinn le cianalas air seann làrach-campachaidh no àiteigin den leithid; *nasib*, far am bi e a' bruidhinn air gaol caillte; *rihla*, far am bruidhinn e air cruadal an turais (gu math tric a' toirt luaidh air cho bòidheach 's a tha a chamhal no each!) agus mu dheireadh *madih*, a tha na dhuan-molaidh, mar as trice do cheann-cinnidh, phàtranach no dhan treubh fhèin. Bhiodh iad gu tric a' tighinn gu crìch le stoirm tàirneanaich.

Thòisich mi a' cnuasachadh air an dàn seo às dèidh dhomh eòlas a chur air an *Lamiyyatt* aig Al-Shanfara Al-Azdi, fear de na *Sa' alik*, bàird a bhiodh "fon choille". Tha an loidhne ann an clò Eadailteach ga tharraing o smuaintean a chuir an deasaiche Robert Irwin as leth an sgrìobhadair rosg Arabais Ibn al-Muqaffa (r.721 CE) a rinn an leabhar Kalila wa-Dimna a thug buaidh air *The Thousand and One Nights*.

Is lugha orm a bhith a' mìneachadh bàrdachd, ach feumaidh gach loidhne a bhith a' comhardadh aig an deireadh air an aon lide (ach a' chiad loidhne a dh'fheumas comhardadh anns a' mheadhan cuideachd) agus mar as trice bidh e a' ruith eadar 15-100 loidhne – tha am fear seo beagan nas fhaide – cha chreid mi gur e an dàn as fheàrr a rinn mi riamh ach bha e na eallach orm crìoch a chur air mus gluaisinn air adhart gu rudan eile. Tha mi fada an comain Robert Irwin airson a' chruinneachaidh ionmholta aige *Night & Horses & The Desert: An Anthology of Classical Arabic Literature* (1999) on a fhuair an dàn seo fho-thiotal.)

This final poem is an exercise based on the classical Arabic form the *Qasida* which has one fixed syllable for its meter all the way through – in this case 'ea' in Gaelic – and is made up of four distinct sections. It's kind of got a bit *An Gleann san robh mi òg* about it: first *atlal* nostalgia, or cianalas, for an old campsite or place; second *nasib*, mourning lost love, thirdly *rihla*, where they discuss the journey (and usually say how beautiful their horse or camel is!) and finally the panegyric *madih* usually addressed to the patron of the poem. Almost without exception they finish on thunderstorms. If you want to find out more, read Robert Irwin's wonderful anthology *Night & Horses & The Desert: An Anthology of Classical Arabic Literature* (1999).

If you got this far in the collection, you too have had an epic journey. You may even think I should have written more poems about attractive horses and thunderstorms than broken hearts and pine trees. Thanks for reading. Learn more Gaelic and keep 'er lit.

Eòghan Stiùbhart